MASSES ATOMIQUES RELATIVES BASÉES SUR ^{12}C

Nom	Symbole	Numéro atomique	Masse atomique relative	Nom	Symbole	Numéro atomique	Masse atomique relative
Actinium	Ac	89	227,028	Mendélévium	Md	101	(258)
Aluminium	Al	13	26,9815	Mercure	Hg	80	200,59
Américium	Am	95	(243)	Molybdène	Mo	42	95,94
Antimoine	Sb	51	121,75	Néodyme	Nd	60	144,24
Argent	Ag	47	107,868	Néon	Ne	10	20,1179
Argon	Ar	18	39,948	Neptunium	Np	93	237,048
Arsenic	As	33	74,9216	Nickel	Ni	28	58,69
Astate	At	85	(210)	Niobium	Nb	41	92,9064
Azote	N	7	14,0067	Nobélium	No	102	(259)
Baryum	Ba	56	137,33	Or	Au	79	196,967
Berkélium	Bk	97	(247)	Osmium	Os	76	190,2
Béryllium	Be	4	9,01218	Oxygène	O	8	15,9994
Bismuth	Bi	83	208,9808	Palladium	Pd	46	106,4
Bore	B	5	10,81	Phosphore	P	15	30,9738
Brome	Br	35	79,904	Platine	Pt	78	195,08
Cadmium	Cd	48	112,41	Plomb	Pb	82	207,2
Calcium	Ca	20	40,08	Plutonium	Pu	94	(244)
Californium	Cf	98	(251)	Polonium	Po	84	(209)
Carbone	C	6	12,011	Potassium	K	19	39,0983
Cérium	Ce	58	140,12	Praséodyme	Pr	59	140,908
Césium	Cs	55	132,9054	Prométhéum	Pm	61	(145)
Chlore	Cl	17	35,453	Protactinium	Pa	91	231,0359
Chrome	Cr	24	51,996	Radium	Ra	88	226,025
Cobalt	Co	27	58,9332	Radon	Rn	86	(222)
Cuivre	Cu	29	63,546	Rhénium	Re	75	186,207
Curium	Cm	96	(247)	Rhodium	Rh	45	102,906
Dysprosium	Dy	66	162,50	Rubidium	Rb	37	85,4678
Einsteinium	Es	99	(252)	Ruthénium	Ru	44	101,07
Erbium	Er	68	167,26	Samarium	Sm	62	150,36
Étain	Sn	50	118,71	Scandium	Sc	21	44,9559
Europium	Eu	63	151,96	Sélénium	Se	34	78,96
Fer	Fe	26	55,847	Silicium	Si	14	28,0855
Fermium	Fm	100	(257)	Sodium	Na	11	22,9898
Fluor	F	9	18,9984	Soufre	S	16	32,06
Francium	Fr	87	(223)	Strontium	Sr	38	87,62
Gadolinium	Gd	64	157,25	Tantale	Ta	73	180,9479
Gallium	Ga	31	69,72	Technétium	Tc	43	(98)
Germanium	Ge	32	72,59	Tellure	Te	52	127,60
Hafnium	Hf	72	178,49	Terbium	Tb	65	158,925
Hélium	He	2	4,00260	Thallium	Tl	81	204,383
Holmium	Ho	67	164,930	Thorium	Th	90	232,038
Hydrogène	H	1	1,00794	Thullium	Tm	69	168,934
Indium	In	49	114,82	Titane	Ti	22	47,88
Iode	I	53	126,905	Tungstène	W	74	183,85
Iridium	Ir	77	192,22	Uranium	U	92	238,029
Krypton	Kr	36	83,80	Vanadium	V	23	50,9415
Lanthane	La	57	138,906	Xénon	Xe	54	131,29
Lawrencium	Lr	103	(260)	Ytterbium	Yb	79	173,04
Lithium	Li	3	6,941	Yttrium	Y	39	88,9059
Lutécium	Lu	71	174,967	Zinc	Zn	30	65,39
Magnésium	Mg	12	24,305	Zirconium	Zr	40	91,224
Manganèse	Mn	25	54,9380				

Les masses atomiques qui précèdent concernent les éléments que l'on trouve dans les matériaux d'origine terrestre et certains éléments artificiels.

Les nombres entre parenthèses représentent la masse atomique de l'isotope dont la demi-vie est la plus longue.

CHIMIE

(3e ÉDITION)

CHIMIE NUCLÉAIRE

MICHÈLE TOURNIER

Centre Éducatif et Culturel inc.

8101, Boul. Métropolitain, Montréal (Québec) H1J 1J9 Tél.: (514) 351-6010

Remerciements

Je tiens à exprimer de très sincères remerciements à tous mes collègues du département de chimie du collège de Maisonneuve pour l'aide précieuse qu'ils m'ont procurée, et surtout pour le soutien moral qu'ils m'ont sans cesse apporté. Je suis tout particulièrement reconnaissante envers Jean-Louis CHARBONNEAU qui, avec une inlassable patience, a bien voulu me faire bénéficier de son savoir et de son expérience, et a également relu le manuscrit avec beaucoup d'attention. Je remercie aussi chaleureusement Marcelle SERVANT, professeure au collège Ahuntsic, pour ses suggestions, ses conseils et ses critiques, qui m'ont beaucoup aidée à élaborer la présentation et le contenu de cette série de modules.

Michèle Tournier

3e édition

© 1986, **Centre Éducatif et Culturel inc.**
8101, boul. Métropolitain est
Montréal (Québec) H1J 1J9
Tous droits réservés.

Dépôt légal : 3e trimestre 1986
Bibliothèque nationale du Québec
Bibliothèque nationale du Canada

ISBN 2-7617-0344-8
Imprimé au Canada

Table des matières

Avant-propos

Ce module est le cinquième d'un ensemble pédagogique, publié en plusieurs étapes, et destiné à l'enseignement de la chimie inorganique et de la chimie physique au niveau collégial. Cet ensemble pédagogique couvrira le contenu du cours de Chimie générale et le contenu du cours de Chimie des solutions. Les cinq modules prévus pour le cours de Chimie générale sont les suivants :

1. *Nomenclature et stœchiométrie*
2. *Structure de l'atome et périodicité*
3. *Liaison chimique*
4. *Métaux et non-métaux*
5. *Chimie nucléaire*

Cette présentation sous forme de modules, le plus possible indépendants les uns des autres, a été adoptée pour la souplesse qu'elle offre, tant aux professeur(e)s qu'aux étudiant(e)s. Les modules **1** et **5** sont complètement autonomes, tandis que les modules **2**, **3** et **4** forment une suite logique. Il n'est toutefois pas indispensable d'avoir couvert au complet le contenu du module **2** pour comprendre celui du module **3**, de même qu'il n'est pas indispensable d'avoir couvert au complet le contenu des modules **2** et **3** pour comprendre celui du module **4**. Une présentation relativement succincte des configurations électroniques et des propriétés périodiques des éléments pourrait permettre à l'étudiant(e) d'aborder directement le module **3**, et pour le module **4**, il faudrait ajouter un survol rapide des différents types de liaisons chimiques.

Outre l'objectif fondamental, qui est celui de traiter le contenu du cours de Chimie générale, les objectifs plus particuliers qui ont guidé l'élaboration de ces modules sont les suivants :

1. Inciter les étudiant(e)s à lire le texte

Pour atteindre cet objectif, on s'est tout d'abord efforcé d'employer un style accessible, et d'indiquer toutes les étapes du cheminement de pensée qui conduit à la compréhension d'un concept ou d'un phénomène donné. Mais surtout, on a ajouté délibérément, à la fin de chaque chapitre ou de chaque module, un grand nombre de questions dont la réponse est donnée *mot-à-mot* dans le texte : cela devrait constituer un guide d'apprentissage susceptible d'amener l'étudiant(e) à faire une lecture complète du texte, même s'il (si elle) a commencé à répondre aux questions et exercices sans avoir lu ou étudié au préalable.

2. Fournir aux étudiant(e)s le moyen de combler leurs lacunes

Une partie importante du contenu du 1er module constitue un retour sur les principales notions qui sont censées avoir été acquises au niveau secondaire (ex.: formule chimique, équation chimique, mole, stœchiométrie, etc.).

3. Permettre aux étudiant(e)s de s'auto-évaluer

Grâce aux longues séries de questions et exercices, dont les réponses se trouvent à la fin de chaque module, les étudiant(e)s devraient être en mesure de vérifier:

— leur acquisition et leur compréhension des connaissances;
— leur capacité d'appliquer ces connaissances;
— leur capacité de mettre en relation plusieurs connaissances et de faire les synthèses auxquelles on peut s'attendre à ce niveau.

4. Faire le lien entre la théorie et la pratique

Grâce à de nombreux exemples concrets (problèmes de pollution, sources d'énergie chimique, produits d'usage domestique, préparations industrielles importantes, propriétés de divers matériaux, présence des divers éléments à l'état naturel, etc.), les étudiant(e)s devraient être à même de prendre conscience des nombreuses applications de la chimie dans la vie de tous les jours, ainsi que de l'apport essentiel de la chimie à la compréhension du monde qui nous environne.

5. Illustrer la démarche scientifique

En présentant les principales étapes du cheminement scientifique qui a conduit à la conception actuelle de l'atome, on s'est efforcé de montrer comment l'observation des faits peut suggérer une hypothèse, laquelle mérite ensuite le titre de théorie si elle est corroborée par d'autres résultats. Par ailleurs, on a souligné le fait qu'une théorie scientifique ne peut jamais être définitive, puisqu'elle n'est jamais à l'abri de nouvelles observations expérimentales susceptibles de la contredire: à cet égard, on a expliqué comment les progrès technologiques, en permettant de faire des observations de plus en plus précises, ont une influence déterminante sur l'évolution des théories scientifiques.

6. Fournir des compléments aux plus intéressé(e)s

Pour répondre aux goûts et aux attentes diversifiés des étudiant(e)s, de nombreux compléments ont été ajoutés en marge, ou intercalés en petits caractères dans le texte principal. Selon le cas, ces compléments peuvent avoir pour objet une application pratique, une anecdote historique, ou encore un approfondissement théorique. Compte tenu de leur présentation typographique différente, ils ne devraient pas gêner la lecture de ceux (celles) qui préfèrent s'en tenir à l'essentiel, tout en fournissant à d'autres la possibilité d'en savoir un peu plus, sans avoir pour cela à consulter un texte d'accès plus difficile.

Le présent module constitue une introduction sommaire à la chimie nucléaire. Il est destiné à ceux qui ne possèdent pas de connaissances sur ce sujet, et désirent en avoir une présentation très simple, exempte de traitements mathématiques. Les notions traitées sont les suivantes : radioactivité, vie moyenne, réaction nucléaire, énergie nucléaire, fission nucléaire et fusion nucléaire.

1. Notion de radioactivité et de vie moyenne d'un radioélément

Tous les atomes d'un même élément renferment le même nombre de protons, mais pas toujours le même nombre de neutrons. C'est ainsi que l'on connaît plusieurs **isotopes** (atomes d'un même élément différant par le nombre de leurs neutrons) de tous les éléments identifiés jusqu'à maintenant [1]. Parmi ces isotopes, certains sont des **isotopes stables**, car ils ne se transforment pas spontanément, tandis que d'autres sont des **isotopes instables**, car ils se transforment spontanément par **radioactivité**. On donne au tableau 1 des exemples d'isotopes de quelques éléments légers [2]. Les isotopes stables sont ceux pour lesquels on indique le pourcentage d'abondance, tandis que les isotopes instables sont ceux pour lesquels on indique la vie moyenne et le mode de désintégration (ces deux dernières notions seront expliquées ultérieurement). On notera que certains éléments ne possèdent qu'un seul isotope stable, comme le fluor, le sodium et le phosphore, tandis que d'autres éléments en possèdent un grand nombre, comme le calcium. Sauf quelques exceptions, les isotopes instables ne sont pas présents dans la nature car, même s'ils ont existé au moment de la formation de la Terre, ils ont depuis longtemps disparu en raison de leur radioactivité. Par contre, les isotopes stables sont présents dans la nature. Leurs abondances relatives sont généralement à peu près les mêmes, quelle que soit l'origine géologique ou géographique de l'échantillon analysé.

On peut définir la **radioactivité** comme étant la propriété qu'ont certains isotopes de se **transformer spontanément**, par suite de l'émission d'un **rayonnement issu de leur noyau**. Les trois types de radioactivité les plus courants sont :

— **la radioactivité α**, qui se traduit par l'émission de **noyaux d'hélium** ou *particules α* ;
— **la radioactivité β⁻**, qui se traduit par l'émission d'**électrons** ;
— **la radioactivité β⁺**, qui se traduit par l'émission de **positrons**, lesquels sont en fait des électrons de charge positive [3].

Par exemple, l'isotope ^{27}Mg est radioactif β⁻, ce qui veut dire que son noyau a la propriété d'émettre un électron. L'émission de cet électron résulte d'un processus selon lequel un neutron, non chargé, génère un

1. **Remarque** : On rappelle que, lorsqu'on veut préciser le nombre de protons et le nombre de neutrons que renferme le noyau d'un isotope, on indique le nombre de protons en indice inférieur gauche, et le *nombre de masse* (somme du nombre de protons et du nombre de neutrons) en indice supérieur gauche. Ainsi, l'écriture $^{25}_{12}Mg$ signifie qu'il s'agit d'un atome de magnésium dont le noyau renferme **12 protons** et **13 neutrons**. Bien entendu, le symbole Mg suffit à indiquer que le noyau renferme 12 protons, et c'est pourquoi on utilise très souvent l'écriture ^{25}Mg, car elle suffit à préciser de quel isotope du magnésium il s'agit. On utilise un symbolisme analogue pour les particules telles que le proton, le neutron et l'électron. On symbolise le proton par ^1_1p, le neutron par ^1_0n et l'électron par $^{\ 0}_{-1}e$.

2. **Remarque** : La liste des isotopes indiqués pour les éléments figurant au tableau 1 n'est généralement pas complète. On a plus particulièrement éliminé les isotopes dont le mode de désintégration est plus complexe, et ceux dont la vie moyenne n'est pas encore mesurée.

3. **Remarque** : Le positron est l'**anti-particule** de l'électron.

Élément	Isotope	Pourcentage d'abondance	Vie moyenne	Mode de désintégration
H	^1H	99,985		
	^2H	0,0148		
	^3H		12,33 a	β^-
C	^{10}C		19,2 s	β^+
	^{11}C		20,38 min	β^+, CE*
	^{12}C	98,89		
	^{13}C	1,11		
	^{14}C		5730 a	β^-
	^{15}C		2,449 s	β^-
O	^{14}O		70,60 s	β^+
	^{15}O		122 s	β^+
	^{16}O	99,76		
	^{17}O	0,038		
	^{18}O	0,204		
	^{19}O		26,9 s	β^-
	^{20}O		13,5 s	β^-
F	^{17}F		64,5 s	β^+
	^{18}F		109,8 min	β^+, CE*
	^{19}F	100		
	^{20}F		11,0 s	β^-
	^{21}F		4,32 s	β^-
	^{22}F		4,23 s	β^-
	^{23}F		2,2 s	β^-
Ne	^{18}Ne		1,67 s	β^+
	^{19}Ne		17,3 s	β^+
	^{20}Ne	90,51		
	^{21}Ne	0,27		
	^{22}Ne	9,22		
	^{23}Ne		37,6 s	β^-
	^{24}Ne		3,38 min	β^-
	^{25}Ne		0,60 s	β^-
Na	^{21}Na		22,47 s	β^+
	^{22}Na		2,602 a	β^+, CE*
	^{23}Na	100		
	^{24}Na		15,02 h	β^-
	^{25}Na		60 s	β^-
	^{26}Na		1,07 s	β^-
Mg	^{22}Mg		3,86 s	β^+
	^{23}Mg		11,3 s	β^+
	^{24}Mg	78,99		
	^{25}Mg	10,00		
	^{26}Mg	11,01		
	^{27}Mg		9,46 min	β^-
	^{28}Mg		21,0 h	β^-
	^{29}Mg		1,4 s	β^-
	^{30}Mg		1,2 s	β^-
Si	^{26}Si		2,21 s	β^+
	^{27}Si		4,13 s	β^+
	^{28}Si	92,23		
	^{29}Si	4,67		
	^{30}Si	3,10		
	^{31}Si		2,62 h	β^-
	^{32}Si		$\approx$ 650 a	β^-
	^{33}Si		6,2 s	β^-
	^{34}Si		2,8 s	β^-

Élément	Isotope	Pourcentage d'abondance	Vie moyenne	Mode de désintégration
P	^{28}P		0,270 s	β^+
	^{29}P		4,1 s	β^+
	^{30}P		2,50 min	β^+
	^{31}P	100		
	^{32}P		14,28 d	β^-
	^{33}P		25,3 d	β^-
	^{34}P		12,4 s	β^-
	^{35}P		47 s	β^-
S	^{30}S		1,2 s	β^+
	^{31}S		2,6 s	β^+
	^{32}S	95,02		
	^{33}S	0,75		
	^{34}S	4,21		
	^{35}S		87,4 d	β^-
	^{36}S	0,017		
	^{37}S		5,0 min	β^-
	^{38}S		170 min	β^-
Cl	^{33}Cl		2,51 s	β^+
	^{34}Cl		1,526 s	β^+
	^{35}Cl	75,77		
	^{36}Cl		$3,00 \times 10^5$ a	β^-, β^+, CE*
	^{37}Cl	24,23		
	^{38}Cl		37,3 min	β^-
	^{39}Cl		56 min	β^-
	^{40}Cl		1,35 min	β^-
	^{41}Cl		34 s	β^-
K	^{36}K		0,34 s	β^+
	^{37}K		1,23 s	β^+
	^{38}K		7,61 min	β^+
	^{39}K	93,26		
	^{40}K	0,0117	$1,28 \times 10^9$ a	β^-, β^+, CE*
	^{41}K	6,73		
	^{42}K		12,36 h	β^-
	^{43}K		22,3 h	β^-
	^{44}K		22,1 min	β^-
	^{45}K		20 min	β^-
	^{46}K		115 s	β^-
	^{47}K		17,5 s	β^-
	^{48}K		6,8 s	β^-
Ca	^{38}Ca		0,44 s	β^+
	^{39}Ca		0,86 s	β^+
	^{40}Ca	96,94		
	^{41}Ca		$1,0 \times 10^5$ a	β^+
	^{42}Ca	0,647		
	^{43}Ca	0,137		
	^{44}Ca	2,09		
	^{45}Ca		165 d	β^-
	^{46}Ca	0,0035		
	^{47}Ca		4,536 d	β^-
	^{48}Ca	0,187		
	^{49}Ca		8,72 min	β^-
	^{50}Ca		14 s	β^-

TABLEAU 1

Exemples d'isotopes de quelques éléments légers

On a indiqué le pourcentage d'abondance dans le cas des isotopes stables, tandis qu'on a indiqué la vie moyenne et le mode de désintégration dans le cas des isotopes instables.

* CE signifie **capture électronique**. Il s'agit d'un processus selon lequel un électron de l'enveloppe électronique entourant le noyau est capturé par le noyau ; à la suite de cette capture, l'électron se combine à un proton pour donner naissance à un neutron. Le résultat final est donc le même que celui de la radioactivité β^+. Très souvent, la capture électronique entre en compétition avec la radioactivité β^+.

électron, qu'il éjecte, tout en se transformant en proton. On symbolise cela par l'équation suivante :

$$_0^1n \rightarrow \ _1^1p + \ _{-1}^0e$$

Après l'émission d'un électron, le noyau de l'*ex-isotope* ^{27}Mg renferme un neutron de moins et un proton de plus : ce n'est donc plus un noyau de magnésium, mais un noyau d'aluminium, puisqu'il possède 13 protons. Une telle transformation, qui se traduit par un changement d'élément chimique, s'appelle une **transmutation radioactive** ou encore une **désintégration radioactive**. On la symbolise ainsi :

$$_{12}^{27}Mg \rightarrow \ _{13}^{27}Al + \ _{-1}^0e$$

La radioactivité β^+ est un phénomène symétrique, en quelque sorte, de la radioactivité β^-. Elle résulte d'un processus selon lequel un proton génère un positron, qu'il éjecte, tout en se transformant en neutron, soit :

$$_1^1p \rightarrow \ _0^1n + \ _{+1}^0e$$

Par exemple, l'isotope ^{23}Mg, radioactif β^+, se transforme en ^{23}Na lors de l'émission d'un positron [4] :

$$_{12}^{23}Mg \rightarrow \ _{11}^{23}Na + \ _{+1}^0e$$

À quelques rares exceptions près, la radioactivité α ne se manifeste que pour les éléments lourds, soit à partir de la 6e période de la classification périodique. Grosso modo, on peut dire que, jusqu'au plomb ($Z = 82$), la radioactivité β^- et la radioactivité β^+ sont les modes de désintégration les plus courants des divers isotopes instables. À partir du bismuth ($Z = 83$), la radioactivité α devient le mode de désintégration le plus fréquent. Lorsqu'un isotope est radioactif α, son noyau perd deux protons et deux neutrons (c'est-à-dire un noyau d'hélium) lors de l'émission de la particule : il se transforme donc en un nouvel élément, dont le numéro atomique est inférieur de deux unités à celui de l'élément initial. Par exemple, ^{226}Ra, radioactif α, se transforme en ^{222}Rn lorsqu'il se désintègre :

$$_{88}^{226}Ra \rightarrow \ _{86}^{222}Rn + \ _2^4\alpha$$

L'émission de particules α, β^+ ou β^- s'accompagne presque toujours de l'émission d'un rayonnement γ, qui est constitué de **photons** d'énergie très élevée (plus élevée que celle des photons X). Ce rayonnement γ est émis par le nouveau noyau résultant de la désintégration, car ce noyau se trouve le plus souvent dans un **état excité** au moment de sa formation. De même qu'il existe une série de niveaux d'énergie permis aux électrons entourant le noyau, il existe aussi une série de niveaux d'énergie permis aux protons et aux neutrons se trouvant dans le noyau. Quand les protons et les neutrons sont à leur plus bas niveau d'énergie possible, on dit que le noyau est à l'état fondamental ; dans le cas contraire, le noyau se trouve dans un état excité. En vertu de la tendance de tous les systèmes à acquérir leur état d'énergie minimal, un noyau excité retourne spontanément à son état fondamental, en émettant son excès d'énergie sous forme de radiations γ. Ces radiations sont de même nature que celles émises par les électrons, mais elles sont de plus grande énergie, car les écarts entre les niveaux d'énergie permis aux protons et aux neutrons sont plus grands que les écarts entre les niveaux d'énergie permis aux électrons.

4. **Remarques** :

a) On notera que les isotopes instables ^{22}Mg et ^{23}Mg, qui sont plus légers que les isotopes stables du magnésium, sont radioactifs β^+ ; par contre, les isotopes instables ^{27}Mg, ^{28}Mg, ^{29}Mg et ^{30}Mg, plus lourds que les isotopes stables, sont radioactifs β^-. Cela apparaît très normal, puisque la radioactivité β^+ engendre un neutron aux dépens d'un proton, et que les isotopes plus légers que les isotopes stables ont précisément un déficit de neutrons par rapport aux isotopes stables. La radioactivité β^- engendre au contraire un proton aux dépens d'un neutron, et il n'est donc pas surprenant qu'elle survienne pour les isotopes plus lourds, puisque ceux-ci ont un excès de neutrons par rapport aux isotopes stables. La constatation que nous venons de faire pour le magnésium se révèle vraie dans la grande majorité des cas : pour un élément donné, les isotopes instables dont le nombre de masse est inférieur à celui des isotopes stables sont presque toujours radioactifs β^+ ; d'autre part, les isotopes instables dont le nombre de masse est supérieur à celui des isotopes stables sont presque toujours radioactifs β^-.

b) On a pu noter au tableau 1 que certains isotopes radioactifs β^+ présentent un autre mode de désintégration symbolisé **CE**, qui signifie **capture électronique**. La capture électronique est un processus de désintégration selon lequel le noyau capture un électron du cortège électronique. À la suite de cette capture, un proton du noyau se transforme en neutron. Le résultat final de la capture électronique est donc le même que celui de la radioactivité β^+. C'est la raison pour laquelle on constate que, dans plusieurs cas, il y a compétition entre la radioactivité β^+ et la capture électronique.

La radioactivité est un phénomène **aléatoire**, en ce sens qu'il n'est pas possible de prédire le moment précis où se produira la transformation d'un noyau instable considéré individuellement. Imaginons par exemple que l'on ait créé à un instant donné une collection de noyaux de l'isotope ^{27}Mg : certains de ces noyaux se transformeront très rapidement, tandis que certains autres vivront longtemps avant de se désintégrer. C'est ce qui a conduit à définir la **vie moyenne**[5] d'un radioisotope (isotope radioactif), qui représente **le temps que vivront en moyenne les noyaux de ce radioisotope.** Par exemple, la vie moyenne du radioisotope ^{27}Mg est de 9,5 minutes. Pour bien comprendre la signification de la vie moyenne, imaginons que l'on ait créé 1 000 000 noyaux de ^{27}Mg à un instant $t = 0$. À l'instant $t = 9,5$ min, 500 000 noyaux se seront désintégrés, mais 500 000 noyaux existeront encore. À l'instant $t = 19,0$ min, 250 000 autres noyaux se seront désintégrés (ce qui fera au total 750 000 noyaux désintégrés depuis le temps $t = 0$), mais 250 000 noyaux existeront encore. À l'instant $t = 28,5$ min, 125 000 noyaux (^{27}Mg) existeront encore, et ainsi de suite. On se rend compte que, même si la moitié des noyaux créés initialement s'est désintégrée au bout de 9,5 min, il restera encore des noyaux non désintégrés au bout de plusieurs heures.

La vie moyenne d'un radioélément dépend de son degré d'instabilité. Les radioéléments très instables ont des vies moyennes extrêmement courtes, tandis que les radioéléments moins instables ont des vies moyennes plus longues. Par exemple, ^{28}P a une vie moyenne de 0,270 s, ^{24}Na a une vie moyenne de 15,02 h, ^{45}Ca a une vie moyenne de 165 d, ^{32}Si a une vie moyenne de 650 a, ^{36}Cl a une vie moyenne de $3,00 \times 10^5$ a. On connaît aussi des radioéléments de vies moyennes encore plus longues, comme par exemple ^{238}U dont la vie moyenne est de $4,5 \times 10^9$ a, ^{232}Th dont la vie moyenne est de $1,39 \times 10^{10}$ a, ou encore ^{40}K dont la vie moyenne est de $1,28 \times 10^9$ a. De tels radioéléments sont **encore présents dans l'écorce terrestre, car leur vie moyenne est du même ordre de grandeur que l'âge de la Terre**, estimé à 3×10^9 a. En effet, bien que les noyaux de ces radioéléments soient instables, ils se désintègrent si lentement qu'une partie de ceux qui ont été créés au moment de la formation de la Terre existent encore[6].

La radioactivité de l'*uranium* (et la radioactivité elle-même, car le phénomène était inconnu auparavant) a été découverte par Henri Becquerel, en 1896, de façon relativement accidentelle[7]. Deux ans plus tard, en 1898, Pierre et Marie Curie découvrirent deux autres éléments radioactifs naturels : le *polonium* et le *radium*. Il s'agissait de l'isotope 210 du polonium (^{210}Po), dont la vie moyenne est de 138 d, et de l'isotope 226 du radium (^{226}Ra), dont la vie moyenne est de 1620 a. Ces deux radioéléments sont présents dans la *pechblende*, qui est le minerai d'uranium le plus important. S'ils existent dans la nature, bien que leur vie moyenne soit petite, c'est parce qu'ils *descendent* de l'uranium par *filiation radioactive*, c'est-à-dire à la suite de plusieurs désintégrations successives. Parmi les radioéléments présents dans la nature du fait que leur vie moyenne est de l'ordre de grandeur de l'âge de la Terre, plusieurs se désintègrent en donnant un isotope stable. C'est le cas par exemple de ^{115}In, radioactif β^-, et dont la vie moyenne est de $5,1 \times 10^{14}$ a. Il engendre, en se désintégrant, l'isotope 115 de l'étain et, comme cet isotope est stable, il ne se passe plus rien ensuite :

$$^{115}_{49}\text{In} \longrightarrow\ ^{115}_{50}\text{Sn} +\ ^{\ 0}_{-1}\text{e}$$

Il n'en va pas de même dans le cas de l'isotope ^{238}U, car il donne naissance, en se désintégrant, à un isotope radioactif (^{234}Th), lequel

6. **Remarque** : C'est la raison pour laquelle on voit apparaître le pourcentage d'abondance de l'isotope ^{40}K au tableau 1, même s'il s'agit d'un isotope radioactif.

7. **Remarque** : Henri Becquerel découvrit la radioactivité alors qu'il faisait des recherches sur la phosphorescence d'un composé de l'uranium. Il soumettait ce composé à l'action des rayons solaires, et il étudiait les radiations émises par le composé (qu'il supposait dues à la phosphorescence) en posant celui-ci sur une plaque photographique enveloppée d'un papier épais. Il eut un jour la surprise de constater que la plaque photographique avait été impressionnée, alors que le composé n'avait pas été exposé au préalable à la lumière solaire (composé et plaque photographique avaient été rangés dans un tiroir au cours de l'hiver). Il refit des essais avec d'autres composés de l'uranium et constata que la plaque photographique était toujours impressionnée. Il en déduisit que le rayonnement qui impressionnait la plaque photographique était émis par l'uranium.

donne naissance, en se désintégrant, à un autre isotope radioactif (^{234}Pa), et ainsi de suite, douze autres fois. L'isotope ^{238}U a finalement quatorze descendants engendrés par désintégrations successives : treize de ces descendants sont radioactifs, et le quatorzième (^{206}Pb) est stable, ce qui stoppe la succession des désintégrations. ^{238}U et ses quatorze descendants constituent ce que l'on appelle une **famille radioactive** (figure 1). Les isotopes ^{210}Po et ^{226}Ra font partie de cette famille, ce qui explique leur présence dans les minerais d'uranium. L'isotope 232 du thorium (^{232}Th), dont la vie moyenne est de $1,39 \times 10^{10}$ a, et l'isotope 235 de l'uranium (^{235}U), dont la vie moyenne est de $7,18 \times 10^8$ a, sont les *ancêtres* respectifs de deux autres familles radioactives tout à fait analogues à celle de ^{238}U représentée à la figure 1.

FIGURE 1

Famille radioactive de ^{238}U

Lors de l'émission d'une particule α, le numéro atomique diminue de 2 unités, et le nombre de masse diminue de 4 unités. Lors de l'émission d'une particule β^-, le numéro atomique augmente de 1 unité, et le nombre de masse ne change pas.

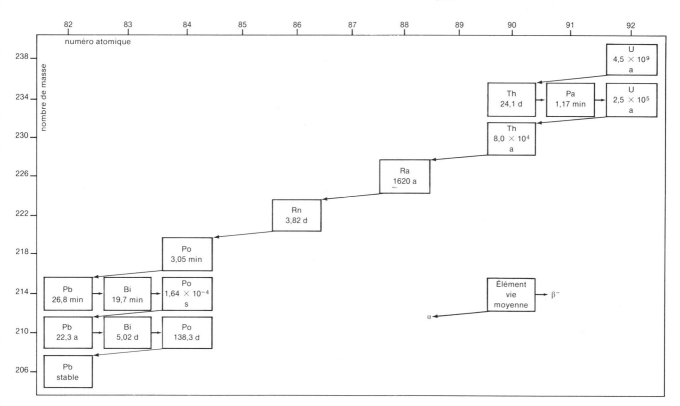

2. Notion de réaction nucléaire

Nous venons d'évoquer deux « sortes » de **radioéléments naturels** :
— ceux dont la vie moyenne est de l'ordre de 10^9 années (ou plus), vraisemblablement formés il y a 3 ou 4 milliards d'années, au moment de la formation de la Terre ;
— ceux qui *descendent* des précédents, et sont constamment générés par filiation radioactive.

Par opposition aux radioéléments naturels, on appelle **radioéléments artificiels** [8] ceux que l'on ne trouve pas dans la nature et que l'on fabrique à l'aide de réactions nucléaires. Une **réaction nucléaire** est une

8. **Remarque** : La plupart des radioéléments connus à l'heure actuelle sont des radioéléments artificiels.

9. Remarque : Si la charge du noyau est élevée (Z grand), la particule α sera déviée avant de pouvoir atteindre le noyau, car plus ce dernier est chargé, plus la répulsion qu'il exerce sur la particule α est grande. C'est ainsi que, lorsque Rutherford bombarda des feuilles d'or par des particules α, ces dernières furent déviées dans diverses directions, mais ne provoquèrent pas de réactions nucléaires : le noyau de l'atome d'or possède en effet 79 protons, ce qui lui permet de repousser des particules α, même animées d'une vitesse élevée, avant que ces dernières ne puissent le *toucher*.

10. Remarque : C'est Irène Curie (fille de Marie Curie) et son mari Frédéric Joliot qui ont découvert la radioactivité artificielle, en 1934, en bombardant des cibles de bore, de magnésium et d'aluminium à l'aide de particules α. Les réactions obtenues avec le magnésium et l'aluminium sont écrites ci-contre, et celle obtenue avec le bore est la suivante :

$$^{10}_{5}B + {}^{4}_{2}\alpha \rightarrow {}^{13}_{7}N + {}^{1}_{0}n$$

Comme ^{30}P et ^{27}Si, ^{13}N est un émetteur β^+ de vie moyenne égale à 9,96 min :

$$^{13}_{7}N \rightarrow {}^{13}_{6}C + {}^{0}_{+1}e$$

Les réactions grâce auxquelles Frédéric Joliot et Irène Curie mirent en évidence la radioactivité artificielle leur permirent également de découvrir le positron $^{0}_{+1}e$. En effet, on ne connaît pas de radioéléments naturels émetteurs β^+, ce qui explique que le positron soit resté inconnu tant que l'on n'a pas su produire de radioélément artificiel.

11. Remarque : C'est Rutherford qui, en 1919, a réalisé la première réaction nucléaire, précisément en bombardant de l'azote par des particules α, tel qu'indiqué ci-contre. Comme l'azote est alors transformé en oxygène, on dit qu'il y a eu *transmutation provoquée* ou *induite*, ce qui distingue une réaction nucléaire d'une émission radioactive au cours de laquelle il y a *transmutation spontanée*. Comme le nouveau noyau formé au cours de cette première réaction nucléaire était un isotope stable de l'oxygène, Rutherford n'a pas eu la possibilité de découvrir en même temps la radioactivité artificielle. Par contre, cette première réaction nucléaire lui a permis de mettre en évidence le proton.

réaction qui implique des noyaux, alors qu'une réaction chimique est une réaction qui implique des atomes. Pour provoquer une réaction nucléaire, il faut disposer d'un projectile susceptible d'entrer en contact avec un noyau. Cela suppose que le projectile soit capable de vaincre la répulsion électrostatique exercée par le noyau. Les particules α émises par les isotopes radioactifs α, dont plusieurs existent à l'état naturel, possèdent une énergie cinétique élevée : elles sont en mesure d'atteindre le noyau, si celui-ci ne porte pas une charge trop élevée ($Z < 20$) [9]. Par exemple, en bombardant une cible d'aluminium ou de magnésium à l'aide de particules α (*projectile*), on provoque les réactions nucléaires suivantes :

$$^{27}_{13}Al + {}^{4}_{2}\alpha \rightarrow {}^{30}_{15}P + {}^{1}_{0}n$$

$$^{24}_{12}Mg + {}^{4}_{2}\alpha \rightarrow {}^{27}_{14}Si + {}^{1}_{0}n$$

On observe dans les deux cas l'émission d'un neutron et la formation d'un nouveau noyau : le noyau ^{30}P dans le cas où ^{27}Al était le noyau cible, et le noyau ^{27}Si dans le cas où ^{24}Mg était le noyau cible. Les noyaux ^{30}P et ^{27}Si sont des noyaux instables, l'un et l'autre radioactifs β^+, comme l'indiquent les équations suivantes :

$$^{30}_{15}P \rightarrow {}^{30}_{14}Si + {}^{0}_{+1}e \qquad \text{(vie moyenne : 2,50 min)}$$

$$^{27}_{14}Si \rightarrow {}^{27}_{13}Al + {}^{0}_{+1}e \qquad \text{(vie moyenne : 4,13 s)}$$

^{30}P et ^{27}Si sont donc des **radioéléments artificiels** que l'on peut fabriquer en bombardant respectivement ^{27}Al et ^{24}Mg à l'aide de particules α [10].

Le nouveau noyau formé lors d'une réaction nucléaire n'est pas nécessairement radioactif. On connaît ainsi plusieurs réactions nucléaires au cours desquelles le noyau formé est un isotope stable présent dans la nature. C'est par exemple le cas lorsqu'on bombarde une cible constituée d'azote à l'aide de particules α :

$$^{14}_{7}N + {}^{4}_{2}\alpha \rightarrow {}^{17}_{8}O + {}^{1}_{1}p$$

On observe alors l'émission d'un proton et la formation de l'isotope ^{17}O, qui est un isotope stable de l'oxygène [11].

Les réactions nucléaires ne se produisent pas nécessairement dans un laboratoire, loin de là. Nous verrons par exemple que l'énergie rayonnée par le Soleil et par les étoiles provient des réactions nucléaires qui s'y déroulent en permanence. Plus près de nous, de nombreuses réactions nucléaires s'effectuent dans l'atmosphère, par suite du bombardement des noyaux des atomes d'azote et des atomes d'oxygène par le *rayonnement cosmique*. Comme son nom l'indique, ce rayonnement nous provient du cosmos, où il est engendré par divers événements, tels que les éruptions solaires ou les explosions d'étoiles massives (*supernovae*). Le rayonnement cosmique arrivant dans la haute atmosphère est surtout constitué de protons et de particules α. Il est à l'origine d'une grande diversité de réactions nucléaires, au cours desquelles se forme une foule de nouvelles particules, parmi lesquelles il y a notamment des neutrons. Ces derniers interagissent avec les noyaux d'azote pour donner naissance à deux radioéléments bien connus, à savoir l'isotope ^{3}H de l'hydrogène (appelé *tritium*) et l'isotope

^{14}C du carbone. Les réactions nucléaires conduisant à la formation de ces deux isotopes sont les suivantes :

$$^{1}_{0}n + ^{14}_{7}N \rightarrow ^{12}_{6}C + ^{3}_{1}H$$

$$^{1}_{0}n + ^{14}_{7}N \rightarrow ^{14}_{6}C + ^{1}_{1}p$$

^{3}H et ^{14}C sont l'un et l'autre radioactifs β^-, ce qui est normal puisqu'ils renferment un excès de neutrons :

$$^{3}_{1}H \rightarrow ^{3}_{2}He + ^{0}_{-1}e \quad \text{(vie moyenne : 12,33 a)}$$

$$^{14}_{6}C \rightarrow ^{14}_{7}N + ^{0}_{-1}e \quad \text{(vie moyenne : 5730 a)}$$

Malgré leur vie moyenne courte, ^{3}H et ^{14}C sont des radioéléments naturels, parce qu'ils résultent de réactions nucléaires qui s'effectuent en permanence dans l'atmosphère [12].

3. Stabilité des noyaux

3.1. Diagramme de stabilité

Lorsqu'on compare le nombre de protons et le nombre de neutrons que renferment les noyaux stables, on s'aperçoit rapidement qu'ils sont approximativement égaux dans le cas des éléments légers, mais que les neutrons sont beaucoup plus nombreux que les protons dans le cas des éléments lourds. Par exemple, le noyau de l'isotope le plus courant de l'oxygène (^{16}O) contient 8 protons et 8 neutrons, tandis que le noyau de l'isotope le plus courant du plomb (^{208}Pb) contient 126 neutrons et 82 protons. Pour avoir une image globale des nombres respectifs de protons et de neutrons que possèdent les noyaux stables, on a l'habitude de situer ces noyaux sur un diagramme où l'on porte le nombre de protons (Z) en abscisses, et le nombre de neutrons (N) en ordonnées (figure 2). L'observation de ce diagramme montre que la zone où se situent les points représentant les noyaux, appelée **zone de stabilité**, se confond presque avec la droite d'équation $N = Z$ dans le cas des noyaux légers, soit jusqu'à $Z = 15$ environ. Ensuite, lorsque Z augmente, la zone de stabilité s'éloigne de plus en plus de la droite d'équation $N = Z$ [13]. On interprète cela en faisant valoir que, lorsque Z augmente, la répulsion électrostatique entre les protons du noyau s'accroît de plus en plus. Un nombre de neutrons de plus en plus grand serait alors nécessaire pour « diluer » en quelque sorte les protons et atténuer ainsi leur répulsion.

La zone de stabilité s'arrête à $Z = 83$: **le bismuth est en effet l'élément de numéro atomique le plus élevé dont on connaît des isotopes stables** [14]. À partir de $Z = 84$ (polonium), et au-delà, on ne connaît aucun isotope stable des éléments identifiés jusqu'ici. Certains des isotopes des éléments dont le numéro atomique est compris entre 84 et 92, soit Po, At, Rn, Fr, Ra, Ac, Th, Pa et U, sont toutefois présents dans la nature. Dans le cas de Th et U il s'agit d'isotopes dont la vie moyenne est de l'ordre de grandeur de l'âge de la Terre. Dans le cas des autres éléments, il s'agit d'isotopes générés par filiation radioactive. Pour ce qui est des éléments faisant suite à l'uranium (appelés *transuraniens*), aucun de leurs isotopes connus n'a été trouvé à l'état

12. **Remarque** : Les atomes de l'isotope ^{14}C formés par la réaction nucléaire donnée ci-contre se combinent sans doute rapidement à l'oxygène de l'air pour former des molécules CO_2, qui se mélangent à celles déjà présentes dans l'atmosphère. Il s'ensuit qu'un certain nombre de molécules CO_2 de l'atmosphère renferment l'isotope ^{14}C, et sont par conséquent radioactives. Une certaine quantité de ces molécules passe en solution dans les océans (sous forme d'ions HCO_3^- et CO_3^{2-}), et les végétaux en absorbent également, de même que les animaux en se nourrissant de végétaux. Au bout du compte, le règne végétal et le règne animal renferment une certaine proportion de l'isotope ^{14}C. Par ailleurs, des études faites sur un grand nombre d'échantillons de bois d'origine récente ont montré que la proportion de l'isotope ^{14}C est constante, n'importe où à la surface de la Terre, pour tous les bois frais de même nature. Or, lorsqu'un arbre meurt, il cesse d'absorber du CO_2 de l'atmosphère par photosynthèse, et la quantité de ^{14}C qu'il contenait au moment de sa mort diminue peu à peu, par radioactivité. La mesure de la concentration de l'isotope ^{14}C dans un fossile permet donc d'estimer l'âge de ce fossile, car plus il est ancien, moins il contient de ^{14}C : c'est ce que l'on appelle la **datation** par le carbone 14. La méthode peut également être employée pour les sédiments marins.

13. **Remarque** : Les isotopes radioactifs connus se situent de part et d'autre de la zone de stabilité montrée à la figure 2. Ceux qui se situent **à gauche** de cette zone de stabilité renferment un excès de neutrons (ou un déficit de protons) par rapport aux isotopes stables : ce sont donc des **émetteurs β^-**. Au contraire, ceux qui se situent **à droite** de cette zone de stabilité ont un déficit de neutrons (ou un excès de protons) par rapport aux isotopes stables : ce sont donc des **émetteurs β^+**.

14. **Remarque** : Pour les numéros atomiques inférieurs à 83, il existe deux éléments dont on n'a pas trouvé d'isotope à l'état naturel, au moins en quantités appréciables : ce sont le **technétium** ($Z = 43$) et le **prométhéum** ($Z = 61$). Les cases de la classification périodique occupées par ces deux éléments sont donc restées vides pendant longtemps. Le technétium a été produit pour la première fois en 1937, en bombardant du molybdène par des **deutons** (noyaux de *deutérium*). Le molybdène naturel renferme plusieurs isotopes stables ; avec l'isotope 97, par exemple, la réaction est la suivante :

$$^{97}_{42}Mo + ^{2}_{1}d \rightarrow ^{98}_{43}Tc + ^{1}_{0}n$$

Le prométhéum a été caractérisé pour la première fois en 1947 dans les **produits de fission de l'uranium**. Comme nous allons le voir,

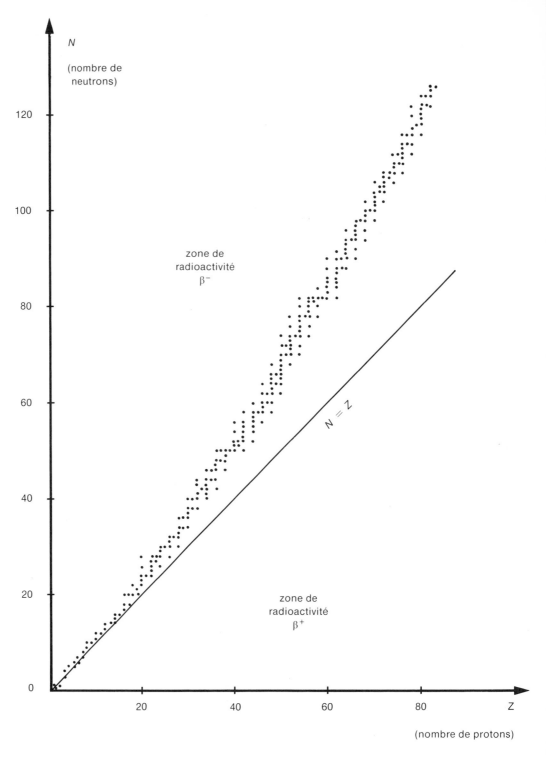

FIGURE 2

Zone de stabilité des noyaux
(chaque point du diagramme
représente un noyau stable)

naturel. Tout cela tend à prouver que la stabilité du noyau devient impossible au-delà d'un certain nombre de protons, malgré l'accroissement du nombre des neutrons.

À partir de $Z = 90$, un nouveau type d'instabilité apparaît : il s'agit de la *fission spontanée*, que l'on peut d'ailleurs considérer comme un autre type de radioactivité [15]. Une **fission** d'un noyau lourd consiste en une **rupture** de ce dernier en **deux fragments principaux**, constitués de deux noyaux de tailles moyennes et habituellement différentes. Par exemple, un noyau de nombre de masse $A \approx 230$ peut donner naissance, lors de la fission, à un noyau de nombre de masse $A \approx 100$ et à un autre noyau de nombre de masse $A \approx 130$. De plus, cette rupture s'accompagne presque toujours de l'**émission de quelques neutrons** (2 ou 3 en général) et de **photons** γ (figure 3). Une fission du noyau de l'isotope ^{235}U peut par exemple correspondre à l'équation suivante :

$$^{235}_{92}U \rightarrow \,^{138}_{54}Xe + \,^{95}_{38}Sr + 2\,^{1}_{0}n$$

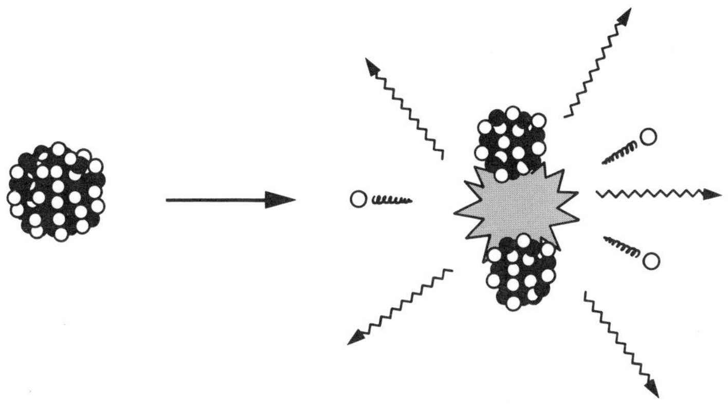

la fission des noyaux lourds donne naissance à toute une gamme de noyaux. Dans le cas de l'isotope ^{235}U, les nombres de masse des noyaux formés sont approximativement compris entre 75 et 160. Le prométhéum, et surtout le technétium, sont au nombre des éléments les plus abondants dans les produits de fission de ^{235}U.

15. **Remarque** : L'isotope ^{235}U, par exemple, est radioactif α, mais peut aussi fissionner spontanément. Toutefois, la vie moyenne correspondant à ces deux types d'instabilité n'est pas la même : elle est de $7{,}0 \times 10^8$ a pour la radioactivité α, tandis qu'elle est de l'ordre de 10^{16} a pour la fission spontanée.

FIGURE 3

Fission d'un noyau lourd

3.2. Énergie de liaison des nucléons

On pourrait croire, de prime abord, que la masse d'un atome s'obtient en additionnant simplement la masse des protons, des neutrons et des électrons dont il est constitué. Or, ce n'est pas le cas, comme nous allons le vérifier avec l'hélium. Un atome de l'isotope ^4He renferme 2 protons, 2 neutrons et 2 électrons. La masse totale de ces six particules égale :

$$2 \times 1{,}67265 \times 10^{-27} + 2 \times 1{,}67495 \times 10^{-27} + 2 \times 9{,}110 \times 10^{-31} = 6{,}6970 \times 10^{-27}\,kg$$

Or, la masse d'un atome de l'isotope ^4He s'obtient en divisant la masse molaire de cet isotope par le nombre d'Avogadro :

$$\frac{4{,}00260 \times 10^{-3}\,kg/mol}{6{,}022045 \times 10^{23}\,atomes/mol} = 6{,}6466 \times 10^{-27}\,kg/atome$$

On constate donc que la masse d'un atome d'hélium est **inférieure de 0,0504 $\times$ 10^{-27} kg** à la somme des masses des protons, des neutrons et des électrons dont il est constitué. Refaisons un calcul similaire pour l'isotope le plus répandu du fer, soit ^{56}Fe :

$$26 \times 1{,}67265 \times 10^{-27} + 30 \times 1{,}67495 \times 10^{-27}$$
$$+ \; 26 \times 9{,}110 \times 10^{-31} = 9{,}3762 \times 10^{-26} \text{ kg}$$

Par ailleurs, la masse d'un atome de l'isotope ^{56}Fe égale :

$$\frac{55{,}9349 \times 10^{-3} \text{ kg/mol}}{6{,}022045 \times 10^{23} \text{ atomes/mol}} = 9{,}2884 \times 10^{-26} \text{ kg/atome}$$

On constate cette fois que la masse d'un atome de fer est **inférieure de 0,0878 $\times$ 10^{-26} kg** à la somme des masses des protons, des neutrons et des électrons dont il est constitué.

Si l'on recommençait le même calcul pour tous les atomes, on trouverait chaque fois que **la masse d'un atome est inférieure** au résultat que l'on obtient en additionnant **la masse des protons, des neutrons et des électrons** dont il est constitué. Cet écart, souvent appelé *défaut de masse*, s'interprète en faisant appel à la célèbre formule d'Einstein, **$E = m\,c^2$**, exprimant *l'équivalence entre la masse et l'énergie.*

Selon la relation $E = m\,c^2$, qui est l'un des résultats les plus importants de la *théorie de la relativité*, l'énergie totale E d'un objet de masse m s'obtient en multipliant cette masse m par le carré de la vitesse de la lumière. Par exemple, l'énergie totale d'un objet de 1 kg égale :

$$E = 1 \times (3 \times 10^8)^2 = 9 \times 10^{16} \text{ J}$$

Cela donne un chiffre « astronomique » : une telle quantité d'énergie aurait par exemple permis de satisfaire la demande totale d'énergie (secteur industriel inclus) de l'agglomération montréalaise pendant toute l'année 1985. Pour donner un exemple qui paraîtra peut-être plus frappant, mentionnons qu'une famille moyenne, habitant l'agglomération montréalaise, dans une maison unifamiliale entièrement chauffée à l'électricité, a consommé, pendant l'année 1985, une quantité totale d'électricité approximativement égale à 13×10^{10} J. L'énergie équivalente à 1 kg de matière aurait donc permis de satisfaire une telle demande pendant 700 000 années !

Mais comment concevoir qu'une simple masse de 1 kg puisse renfermer autant d'énergie ? En fait, pour que 9×10^{16} J puissent être obtenus, il faudrait que 1 kg de matière **disparaisse complètement**, c'est-à-dire qu'il **se transforme entièrement en énergie**. Bien entendu, on ne sait pas, du moins pas encore, faire disparaître complètement la matière que renferme un objet de 1 kg, un caillou par exemple, de manière à récupérer toute l'énergie E équivalente à cette matière. Cependant, on sait réaliser des réactions nucléaires au cours desquelles il se produit un **perte de masse** mesurable. L'énergie qui se dégage, lors de ces réactions, est précisément égale à la perte de masse multipliée par le carré de la vitesse de la lumière. On peut dire en fait que **toutes les fois que la masse diminue de Δm au cours d'une transformation, il se dégage une certaine quantité d'énergie ΔE** ; inversement, si un système absorbe une certaine quantité d'énergie ΔE au cours d'une transformation, sa masse augmente de Δm. Dans un cas comme dans l'autre, ΔE et Δm sont liés par la relation [16] $\Delta E = \Delta m\, c^2$.

En généralisant les calculs précédents relatifs aux isotopes ^{4}He et ^{56}Fe, on peut conclure qu'il y aurait perte de masse lors d'une transformation au cours de laquelle on formerait un atome en rassemblant les particules qui le composent. La masse du produit obtenu, c'est-à-dire

16. **Remarque : La relation d'Einstein est valable pour les réactions chimiques aussi bien que pour les réactions nucléaires.** Cependant elle n'a pas pu être vérifiée expérimentalement dans le cas des réactions chimiques, car les masses qui apparaissent ou disparaissent sont beaucoup trop petites pour être mesurables. Si elles sont mesurables dans le cas des réactions nucléaires, c'est parce que l'énergie des liaisons entre les nucléons est considérablement plus grande que l'énergie des liaisons entre les atomes. À titre de comparaison, on peut signaler qu'il se dégage 2 500 000 fois plus d'énergie lors de la fission de 1 g de ^{235}U que lors de la combustion de 1 g de gaz naturel. De manière générale :
— toutes les fois qu'une réaction, nucléaire ou chimique, **dégage de l'énergie**, il y a **disparition de matière**, c'est-à-dire que la masse totale des produits est inférieure à la masse totale des réactifs ;
— toutes les fois qu'une réaction, nucléaire ou chimique, **absorbe de l'énergie**, il y a **apparition de matière**, c'est-à-dire que la masse totale des produits formés est supérieure à la masse totale des réactifs.

À la lumière de la relation d'Einstein exprimant l'équivalence entre la masse et l'énergie, on peut donc dire que la loi de *conservation de la masse* de Lavoisier, selon laquelle *rien ne se perd, rien ne se crée*, n'est pas correcte, **en théorie** tout au moins. **En pratique**, elle reste cependant applicable aux réactions chimiques, puisque les variations de masse sont alors trop petites pour être mesurables (tout au moins pour l'instant). Par contre, elle n'est pas applicable, même en pratique, aux réactions nucléaires, puisque les variations de masse sont mesurables dans leur cas.

l'atome, est en effet inférieure à celle que totaliseraient les particules dont il est constitué (protons, neutrons et électrons), si ces particules étaient séparées les unes des autres. La théorie de l'équivalence entre la masse et l'énergie nous indique qu'au cours d'une telle transformation il y aurait un dégagement d'énergie égal à la perte de masse multipliée par le carré de la vitesse de la lumière. Ainsi, la formation d'un atome d'hélium à partir de 2 protons, 2 neutrons et 2 électrons dégagerait une énergie de :

$$0,0504 \times 10^{-27} \times (3,00 \times 10^8)^2 = 4,54 \times 10^{-12} \text{ J/atome}$$

ou, pour une mole d'atomes :

$$4,54 \times 10^{-12} \times 6,022045 \times 10^{23} = 2,73 \times 10^{12} \text{ J/mol d'atomes}$$

Dans le cas de l'isotope ^{56}Fe, l'énergie dégagée serait de :

$$0,0878 \times 10^{-26} \times (3 \times 10^8)^2 \times 6,022045 \times 10^{23} =$$
$$4,76 \times 10^{13} \text{ J/mol d'atomes}$$

On rappelle par ailleurs que **l'énergie dégagée** lors de la formation d'une liaison se définit comme étant **l'énergie de la liaison**, et se compte **négativement**. Par exemple, lors de la formation de la liaison H—H, il y a dégagement de 436 kJ/mol :

$$H_{(g)} + H_{(g)} \longrightarrow H_{2(g)} + 436 \text{ kJ/mol}$$

On dit que l'énergie de la liaison H—H est de – 436 kJ/mol. Le signe – signifie que le système formé par les deux atomes d'hydrogène perd 436 kJ/mol lorsque la molécule H_2 se forme et que, au contraire, il faudra fournir + 436 kJ/mol à H_2 pour briser la liaison et obtenir des atomes d'hydrogène séparés.

Revenons maintenant à la transformation au cours de laquelle on formerait un atome en rassemblant les protons, les neutrons et les électrons dont il est constitué. Il y a bien formation de liaisons lors d'une telle transformation, puisque les protons, les neutrons et les électrons sont liés entre eux dans l'atome. L'énergie dégagée par cette transformation se définira donc comme étant l'énergie de liaison des particules dans l'atome. L'énergie de liaison des électrons au noyau est en fait négligeable en comparaison de l'énergie de liaison des protons et des neutrons au sein du noyau. En effet, la force responsable de l'attraction des nucléons entre eux est considérablement plus intense que la force électrique responsable de l'attraction des électrons par le noyau. On peut donc dire que les énergies calculées précédemment représentent, au signe près, l'énergie de liaison du noyau. Comme cette énergie dépend évidemment du nombre de nucléons, il est utile, pour faire des comparaisons, de calculer l'énergie de liaison par nucléon. Dans le cas des isotopes considérés, cette énergie vaut :

pour ^{4}He : $- \dfrac{2,73 \times 10^{12} \text{ J/mol de noyaux}}{4 \text{ mol de nucléons/mol de noyaux}} =$

$$-6,83 \times 10^{11} \text{ J/mol de nucléons}$$

pour ^{56}Fe : $- \dfrac{4,76 \times 10^{13} \text{ J/mol de noyaux}}{56 \text{ mol de nucléons/mol de noyaux}} =$

$$-8,50 \times 10^{11} \text{ J/mol de nucléons}$$

L'énergie de liaison par nucléon est donc plus grande en valeur absolue pour le fer que pour l'hélium. Cela veut dire que **les nucléons sont plus solidement liés dans le noyau du fer que dans celui de l'hélium**.

On a représenté, à la figure 4, les variations de l'énergie de liaison par nucléon en fonction du nombre de masse, c'est-à-dire du nombre de nucléons. On constate que cette courbe passe par un minimum pour les atomes dont le nombre de masse se situe autour de 60 (le fer, entre autres) : **c'est donc dans les noyaux des atomes dont le nombre de masse vaut à peu près 60 que les nucléons sont le plus solidement liés.** Les nucléons sont moins solidement liés dans les noyaux lourds, ce qui explique d'ailleurs l'instabilité que manifestent ces derniers.

3.3. Fission et fusion nucléaires

La courbe montrant les variations de l'énergie de liaison en fonction du nombre total de nucléons nous indique clairement d'où provient l'énergie nucléaire. Comme la solidité des liaisons entre nucléons n'est pas la même dans tous les noyaux, **il se dégagera de l'énergie toutes les fois que se formeront des noyaux dans lesquels les nucléons sont plus solidement liés que dans les noyaux de départ** : de l'énergie ainsi dégagée est bien de l'**énergie nucléaire**, puisqu'elle résulte de transformations affectant les noyaux. Nous allons présenter brièvement les deux catégories de réactions qui libèrent des quantités importantes d'énergie nucléaire, à savoir la **fission nucléaire** et la **fusion nucléaire**.

Fission nucléaire : bombe A et centrales nucléaires

Nous avons déjà expliqué, à propos de la fission spontanée, en quoi consiste une fission nucléaire. Il s'agit de la rupture d'un noyau lourd, au cours de laquelle il y a formation de deux noyaux de tailles comparables, mais habituellement un peu différentes. Par exemple, un noyau lourd de nombre de masse $A \approx 230$ peut donner naissance à un noyau de nombre de masse $A \approx 90$ et à un autre de nombre de masse $A \approx 140$. La rupture du noyau lourd s'accompagne en outre de l'émission de neutrons (deux ou trois) et de photons γ. D'après la courbe de la figure 4, il est clair que les nucléons sont plus solidement liés dans les deux noyaux de taille moyenne produits qu'ils ne l'étaient dans le noyau lourd de départ. C'est précisément pour cela que **la fission d'un noyau lourd s'accompagne toujours d'un dégagement d'énergie important**. Cette énergie se retrouve sous forme de photons γ, et d'énergie cinétique des noyaux formés et des neutrons émis.

L'énergie produite par les centrales nucléaires, ainsi que celle produite par l'explosion des bombes atomiques (*bombes A*), provient de la fission nucléaire. Dans les deux cas, le matériau *fissile* (c'est-à-dire susceptible de fissionner) que l'on a le plus couramment employé jusqu'à maintenant est l'isotope 235 de l'uranium (^{235}U) [17]. Le noyau de cet isotope peut fissionner spontanément, mais c'est là un événement assez rare. Par contre, sous l'action d'un neutron (plus précisément, à la suite de l'absorption d'un neutron), la probabilité pour que la fission se produise est considérablement plus grande. Provoquée par un neutron, la fission d'un noyau d'uranium peut par exemple correspondre à l'équation suivante :

$$\ce{^{1}_{0}n} + \ce{^{235}_{92}U} \rightarrow \ce{^{99}_{43}Tc} + \ce{^{135}_{49}In} + 2\,\ce{^{1}_{0}n} + \gamma$$

17. **Remarque** : On utilise aussi ^{239}Pu et on prévoit utiliser ^{233}U.

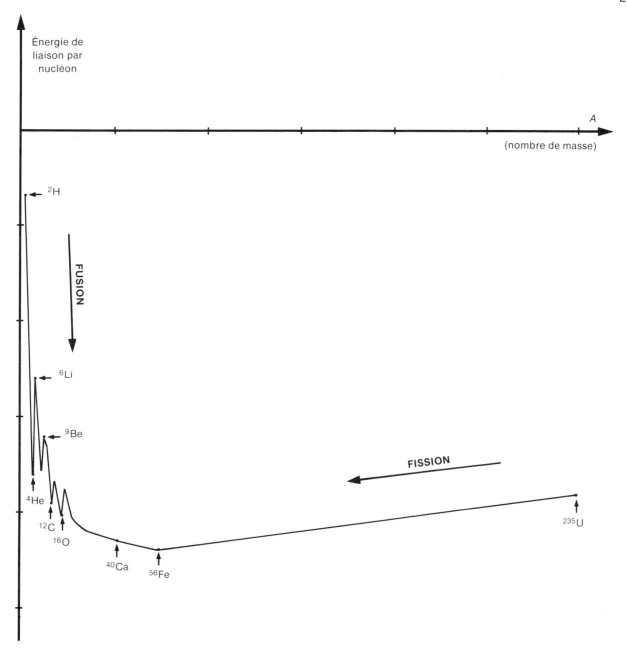

FIGURE 4

Variations de l'énergie de liaison par nucléon
en fonction du nombre de masse
(ou nombre total de nucléons)

Comme l'énergie de liaison se compte négativement, c'est dans les noyaux correspondant
au minimum de la courbe que les nucléons sont
le plus solidement liés.

18. Remarque : L'uranium naturel ne contient en fait que 0,7% de l'isotope ^{235}U, pour 99,3% de l'isotope ^{238}U. Or, seul l'isotope ^{235}U fissionne facilement. Au sein d'un échantillon d'uranium naturel, les neutrons émis par une fission d'un noyau ^{235}U ont donc à parcourir une assez grande distance avant de rencontrer un nouveau noyau ^{235}U. En plus, ils ont de fortes chances d'être tout simplement capturés par un noyau de ^{238}U, ce qui engendre le nouvel isotope ^{239}U. Finalement, seule une infime partie des neutrons émis lors d'une fission pourront servir à provoquer une nouvelle fission, de sorte que les conditions ne sont pas réunies pour qu'une explosion puisse se produire. En pratique, le matériau fissile dont on se sert pour la fabrication des bombes est constitué de ^{235}U presque pur, ce qui exige que cet isotope ait au préalable été extrait de l'uranium naturel. Une fois obtenu l'isotope ^{235}U presque pur, en fragments séparés de masses inférieures à la masse critique, la réalisation matérielle de la bombe est assez simple. Pour déclencher l'explosion, il suffit en fait de réunir plusieurs fragments de masse inférieure à la masse critique, afin d'obtenir une masse totale supérieure à la masse critique.

19. Remarque : Comme l'uranium naturel ne renferme que 0,7% de l'isotope ^{235}U qui fissionne facilement, on a souvent recours à de l'**uranium enrichi**, qui est de l'uranium renfermant une plus grande proportion de ^{235}U que l'uranium naturel. En général, l'uranium enrichi que l'on utilise dans les centrales nucléaires contient environ 3% d'isotope ^{235}U, ce qui n'a rien à voir avec l'uranium constitué de ^{235}U presque pur dont on se sert pour la fabrication des bombes (c'est pourquoi la production de ^{235}U presque pur est surveillée de très près par les gouvernements). Il existe également des centrales nucléaires fonctionnant avec de l'uranium naturel, comme les centrales du type CANDU produites par le Canada. Les neutrons émis étant alors moins « concentrés » qu'avec de l'uranium enrichi, on doit faire appel, dans ce cas, à un fluide réfrigérant et à un modérateur capturant peu les neutrons. C'est l'eau lourde, D_2O, que l'on emploie dans ce type de centrale, à la fois comme fluide réfrigérant et comme modérateur.

20. Remarque : Un neutron qui heurte un noyau de l'isotope ^{238}U est facilement capturé par ce dernier, ce qui donne naissance à l'isotope ^{239}U. Celui-ci, radioactif β^-, engendre l'isotope ^{239}Np ; ^{239}Np est également radioactif β^- et engendre à son tour l'isotope ^{239}Pu :

$$^{239}_{92}U \rightarrow \, ^{239}_{93}Np + \, ^{0}_{-1}e \quad \text{(vie moyenne : 23,5 min)}$$

$$^{239}_{93}Np \rightarrow \, ^{239}_{94}Pu + \, ^{0}_{-1}e \quad \text{(vie moyenne : 2,35 d)}$$

Qu'elle soit spontanée ou provoquée par un neutron, une réaction de fission dégage à peu près la même quantité d'énergie, car on a toujours formation de deux noyaux de grosseur moyenne (A compris entre 75 et 160) à partir d'un noyau lourd, ce qui donne des pertes de masse nécessairement très semblables.

Comme il y a toujours émission d'un ou de plusieurs neutrons lors d'une réaction de fission, qu'elle soit spontanée ou non, les neutrons émis lors d'une fission spontanée pourront provoquer de nouvelles fissions, lesquelles donneront naissance à d'autres neutrons. Ceux-ci pourront à leur tour provoquer de nouvelles fissions, qui donneront naissance à de nouveaux neutrons, et ainsi de suite. Il peut ainsi se développer un processus de **réaction en chaîne** qui entraînera finalement la fission de tous les noyaux fissiles du départ. Ce processus, illustré à la figure 5, se produit effectivement (en l'espace d'un cent millionième de seconde) lors de l'explosion d'une bombe atomique. Le démarrage de la réaction en chaîne exige cependant que soit rassemblée une masse suffisante de matériau fissile : cette masse est appelée **masse critique**. Il faut considérer en effet que les neutrons émis lors d'une fission ne sont pas tous « utiles », notamment parce que plusieurs d'entre eux peuvent s'échapper du matériau fissile avant d'avoir provoqué une fission. Or, le pourcentage de ces fuites est d'autant plus grand que le volume de matériau fissile est plus petit, de sorte qu'il faut rassembler une quantité suffisante de matériau fissile pour que la réaction en chaîne démarre et que l'explosion ait lieu [18].

Comparé à l'explosion d'une bombe atomique, ce qui se produit dans le **réacteur d'une centrale nucléaire** est un peu plus compliqué. Il faut alors **récupérer** au mieux l'énergie dégagée, pour la rendre utilisable, et également **contrôler** la réaction en chaîne, pour éviter tout risque d'emballement. Dans une centrale nucléaire, la chaleur produite dans le réacteur sert à faire bouillir de l'eau ; la vapeur ainsi obtenue fait tourner une turbine, qui à son tour entraîne un alternateur, lequel débite de l'électricité (figure 6). Les principales composantes du réacteur sont le **matériau fissile** (^{235}U le plus souvent [19]), le **modérateur**, le **fluide réfrigérant** et les **barres de contrôle**. Le rôle du **modérateur** est de réduire la vitesse des neutrons, car les *neutrons lents* (vitesse de l'ordre de 1 km/s) ont beaucoup plus de chances de provoquer la fission du noyau ^{235}U que les neutrons rapides (vitesse de l'ordre de 10 000 km/s) émis au moment de la fission. Selon le type de centrale, on emploie comme modérateur de l'eau ordinaire, de l'eau lourde (D_2O), du graphite ou du béryllium. Le rôle du **fluide réfrigérant** est d'extraire la chaleur du cœur du réacteur. Le fluide réfrigérant circule dans le cœur du réacteur, où il se réchauffe, et il est ensuite dirigé dans un échangeur de chaleur, où il se refroidit, tout en transformant de l'eau en vapeur. Selon les types de centrales, on emploie habituellement comme réfrigérant de l'eau ordinaire, de l'eau lourde, du CO_2 sous pression (liquéfié), des mélanges d'hydrocarbures, ou encore un mélange de sodium et de potassium (ce mélange est bien entendu liquide aux températures concernées).

Trois destins différents sont possibles pour les neutrons produits lors d'une fission (en moyenne **2,5** neutrons par fission). Ils peuvent produire une nouvelle fission, ils peuvent être capturés (par ^{238}U [20] le modérateur, ou le fluide réfrigérant), ou encore ils peuvent s'échapper du cœur du réacteur et aller se perdre dans les enveloppes protectrices. Il faut donc équilibrer ces trois possibilités pour que la réaction en

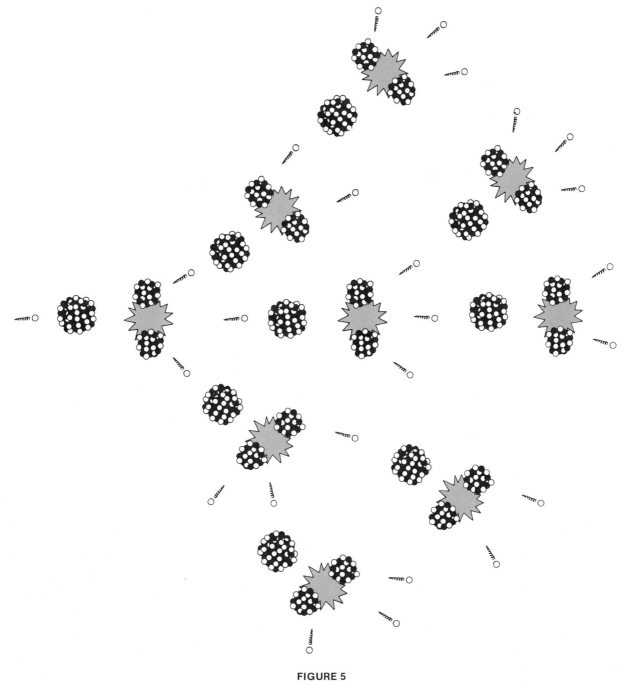

FIGURE 5

Processus de réaction en chaîne

chaîne ne s'emballe ni ne s'arrête, mais qu'elle se poursuive à un rythme constant. Or, 1000 fissions donneront naissance à 2500 neutrons : de ceux-ci, 1000 neutrons devront provoquer de nouvelles fissions, tandis que 1500 devront être rendus inefficaces. La taille du réacteur et la nature des matériaux qui constituent ses diverses composantes sont

C'est ainsi que se forme peu à peu du plutonium 239 (qui n'existe pas dans la nature) au sein de l'uranium utilisé dans une centrale nucléaire. Or, cet isotope est fissile et peut parfaitement remplacer l'uranium 235. C'est pourquoi plusieurs

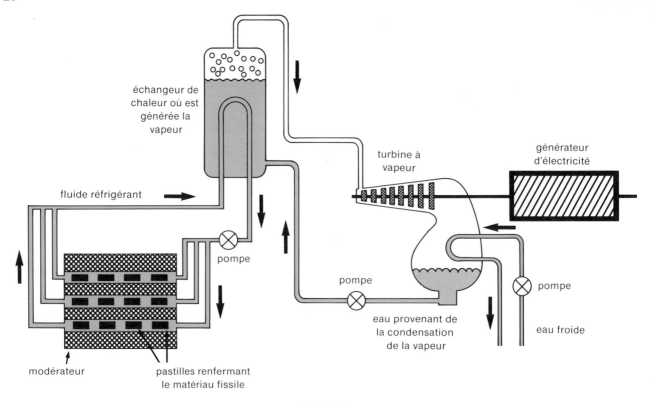

échangeur de chaleur où est générée la vapeur

turbine à vapeur

générateur d'électricité

fluide réfrigérant

pompe

pompe

eau provenant de la condensation de la vapeur

pompe

eau froide

modérateur

pastilles renfermant le matériau fissile

FIGURE 6

Schéma de principe d'une centrale
à fission nucléaire
(les barres de contrôle ne sont pas figurées)

pays *retraitent* l'uranium épuisé (c'est-à-dire l'uranium qui a été utilisé pendant un certain temps dans une centrale), afin d'en extraire l'isotope ^{239}Pu, qui pourra servir par la suite comme matériau fissile. En fait, ^{239}U et ^{239}Np (les ancêtres de ^{239}Pu) sont également fissiles, mais leur vie moyenne est trop courte pour qu'il soit possible de s'en servir. La vie moyenne de ^{239}Pu ($2,41 \times 10^4$ a) est suffisamment longue pour que l'on ait le temps de l'extraire et de l'utiliser.

choisis dans le but d'atteindre cet objectif. Les **barres de contrôles** sont faites de substances très avides de neutrons, comme le bore ou le cadmium. En les plongeant plus ou moins profondément dans le cœur du réacteur, on peut absorber, c'est-à-dire rendre inefficaces, un nombre plus ou moins grand de neutrons. Elles permettent donc de raffiner le contrôle de la réaction en chaîne (l'essentiel du contrôle étant assuré par la conception générale du réacteur), et de l'arrêter si c'est nécessaire.

Fusion nucléaire

Alors que la fission nucléaire consiste en une rupture d'un noyau lourd, la fusion nucléaire consiste au contraire en une **soudure de deux noyaux légers, pour donner naissance à un noyau plus lourd**. Par exemple, l'équation suivante :

$$^2_1H \; + \; ^3_1H \; \rightarrow \; ^4_2He \; + \; ^1_0n \; + \; \text{énergie}$$

symbolise la fusion d'un noyau de *deutérium* (^2_1H) et d'un noyau de *tritium* (^3_1H), à la suite de laquelle on obtient un noyau d'hélium (noyau plus lourd) et un neutron. D'après le diagramme de la figure 4, la fusion de noyaux légers est censée dégager une **quantité d'énergie beaucoup**

plus considérable que la fission d'un noyau lourd, puisque la **perte de masse est nettement plus importante** dans le cas de la fusion. Des centrales nucléaires exploitant la fusion nucléaire seraient donc bien plus intéressantes que les centrales nucléaires actuelles, où l'on exploite la fission nucléaire. Effectivement, beaucoup d'efforts visant à réaliser de telles centrales ont été déployés, mais le but n'est pas encore atteint. À l'heure actuelle, on ne sait pas contrôler la fusion nucléaire comme on sait le faire pour la fission. (Contrôler signifie être capable de déterminer le rythme de la réaction, de telle sorte que l'énergie dégagée puisse être récupérée au fur et à mesure, et rendue utilisable.) Tout ce que l'on sait faire pour le moment avec la fusion nucléaire, c'est la *bombe H* (bombe à hydrogène). Une telle bombe est environ 1000 fois plus puissante, donc 1000 fois plus dévastatrice, qu'une *bombe A* (bombe à fission), parce que la fusion est beaucoup plus exothermique que la fission.

Contrairement à la fission, la fusion nucléaire ne peut en aucun cas être spontanée dans les conditions de température qui prévalent sur le globe terrestre. Pour que deux noyaux fusionnent, il faut en effet qu'ils s'approchent l'un de l'autre à une distance telle que les forces d'attraction entre nucléons puissent intervenir. Or, ces forces sont très intenses, mais ne s'exercent qu'à très courte distance : leur rayon d'action correspond à peu près à la distance qui sépare les nucléons dans les noyaux, ce qui est excessivement court. Par ailleurs, comme les noyaux sont chargés positivement, ils se repoussent sous l'action de la force électrique qui, elle, s'exerce à une distance beaucoup plus grande que les forces d'attraction entre nucléons. Deux noyaux ne peuvent donc s'approcher très près l'un de l'autre que s'ils possèdent une énergie cinétique suffisante pour vaincre la force de répulsion électrique qui tend à les maintenir éloignés. Cette énergie cinétique peut leur être fournie par l'agitation thermique résultant de la température, mais la température requise est véritablement énorme : plusieurs millions de degrés au minimum. À de telles températures, les atomes n'existent pas, car les électrons sont détachés des noyaux à cause de l'agitation thermique ; la matière se trouve alors dans un état appelé **plasma**[21], où les noyaux baignent en quelque sorte dans une « mer » d'électrons. Dans ces conditions, les noyaux en déplacement continuel s'entrechoquent, et c'est alors que la fusion peut se produire.

Pour atteindre les températures que requiert la fusion nucléaire, des moyens modestes ne suffisent pas. C'est ainsi que, pour déclencher l'explosion d'une *bombe H*, on n'utilise rien de moins que l'explosion d'une *bombe A*. Cette dernière sert en fait à « allumer » l'hydrogène, c'est-à-dire à le porter à une température suffisamment élevée pour que la fusion ait lieu. En procédant ainsi, il est clair que l'on n'a aucun contrôle sur le déroulement de la réaction de fusion. Ce que l'on cherche par contre à réaliser, c'est la « fusion contrôlée », qui permettrait d'utiliser à des fins pacifiques les quantités d'énergie considérables que ce type de réaction est en mesure de libérer. Pour cela, il faut résoudre deux types de problèmes. D'une part, il faut obtenir un plasma porté à une température de presque cent millions de degrés (ceci dans le cas où l'on utilise un mélange de deutérium et de tritium, les deux isotopes qui fusionnent le plus facilement). D'autre part, il faut **confiner** ce plasma, c'est-à-dire le maintenir dans un volume suffisamment restreint, pendant un temps suffisamment long. On conçoit en effet que les réactions de fusion seront d'autant plus nombreuses que le nombre de

21. **Remarque** : Au voisinage du zéro absolu, toutes les substances, ou presque, se trouvent à l'état solide : l'agitation thermique étant alors presque nulle, elle ne peut donc provoquer la rupture des liaisons qui assurent la cohésion du solide. Lorsque la température augmente, l'agitation thermique s'amplifie et provoque à un moment donné le passage à l'état liquide, puis le passage à l'état gazeux. Selon la solidité des liaisons chimiques impliquées, le passage à l'état liquide et à l'état gazeux se fait à température plus ou moins élevée. Par exemple, le dioxygène (O_2) devient gazeux à –183° C, l'eau devient gazeuse à 100° C, le sable (SiO_2) devient gazeux vers 2500° C. S'il est nécessaire de chauffer autant pour transformer le sable en gaz, c'est qu'il faut dans ce dernier cas briser des liaisons covalentes. Pour O_2, ce sont des liaisons de Van der Waals qui se brisent lors du passage à l'état gazeux, et pour H_2O ce sont des liaisons hydrogène. Mais que se passe-t-il si l'on porte O_2 ou H_2O à une température de 2500° C ? Une bonne partie des molécules se dissocient alors en atomes, car l'agitation thermique correspondant à cette température peut provoquer la rupture d'un certain nombre de liaisons covalentes. À des températures plus élevées encore, les molécules n'existent plus, il n'y a que des atomes. Une fois toutes les molécules dissociées en atomes, que se passe-t-il si l'on augmente encore la température ? Lorsque cette dernière atteint environ 10 000° C, les atomes s'ionisent et, peu à peu, tous les électrons se détachent des noyaux si la température croît encore. Lorsque tous les atomes sont ionisés, la matière est constituée d'ions en perpétuel mouvement plongés dans un « bain » d'électrons, également en perpétuel mouvement : c'est ce que l'on appelle un **plasma**.

noyaux par unité de volume sera plus grand, et que ces noyaux seront maintenus à la température requise pendant plus longtemps. Les recherches actuelles visant à réaliser ce genre de prouesse technologique portent sur deux types de méthodes tout à fait différentes. La première méthode consiste à chauffer le plasma à l'aide d'un courant électrique très intense, et à le confiner à l'aide d'un champ magnétique : c'est le principe du *Tokamak*, conçu par les Soviétiques. La seconde méthode, imaginée par les Américains, consiste à injecter dans une enceinte des pastilles formées de deutérium et de tritium congelés, et à les chauffer à l'aide d'un faisceau laser très intense. Les progrès accomplis à ce jour sont très encourageants, mais on n'a pas encore atteint le stade où la quantité d'énergie libérée par la réaction de fusion égale la quantité d'énergie investie. L'objectif, bien entendu, est d'obtenir plus d'énergie, et même beaucoup plus d'énergie, que l'on en investit pour démarrer la réaction. Selon les pronostics, on devrait y parvenir au début du siècle prochain [22].

Si la fusion nucléaire est très difficile à réaliser sur la Terre, il n'en va pas de même au cœur des étoiles. Grâce aux températures prodigieuses qui y règnent, la fusion s'y déroule de façon tout à fait naturelle : c'est ce qui leur permet de rayonner des quantités considérables d'énergie, tout en fabriquant des noyaux lourds à partir de noyaux légers. Au cœur de notre Soleil, par exemple, il règne une température de 16 millions de degrés et, en plusieurs étapes successives, des noyaux d'hélium s'y forment à partir de noyaux d'hydrogène. Cela explique qu'il soit constitué de 23% d'hélium et de 75% d'hydrogène. Selon les astrophysiciens, le Soleil était constitué, au moment de sa naissance (il y a environ 5 milliards d'années), d'une énorme masse d'hydrogène réunie par la force gravitationnelle ; la contraction [23] provoquée par cette force aurait fait augmenter la température jusqu'à 16 millions de degrés au centre de l'astre, et c'est alors qu'aurait démarré la fusion nucléaire. À l'heure actuelle, le Soleil serait donc en train de « brûler » son hydrogène, tout en le transformant en hélium, ce qui devrait durer pendant 5 milliards d'années encore. Après cela, on prévoit une nouvelle période de contraction, au cours de laquelle la température devrait augmenter jusqu'à environ 200 millions de degrés. Grâce à cette température, les noyaux d'hélium pourraient fusionner à leur tour et engendrer des noyaux de carbone (en fusionnant trois par trois) et des noyaux d'oxygène (en fusionnant quatre par quatre). Une fois l'hélium entièrement consommé, il devrait y avoir une nouvelle période de contraction à la suite de laquelle la température pourrait approcher le milliard de degrés. Les noyaux de carbone et les noyaux d'oxygène, créés au cours de la phase de fusion précédente, pourraient à leur tour fusionner et donner naissance à des noyaux encore plus lourds (aluminium, silicium, phosphore, soufre). C'est ainsi que, peu à peu, les noyaux lourds dont notre environnement et notre corps sont constitués se seraient formés au cœur des étoiles, grâce à la fusion nucléaire.

22. Remarque : Le contrôle de la fusion nucléaire représente un enjeu considérable, car il devrait vraisemblablement permettre de résoudre les problèmes énergétiques de l'humanité de façon à peu près définitive. La matière première nécessaire à la fusion existe en effet dans la nature en quantité quasi illimitée. Ainsi, un litre d'eau de mer contient, sous forme de deutérium, l'équivalent de 220 litres de pétrole. (Même si la réaction $^2H + ^3H$ est la plus facile à réaliser, la réaction $^2H + ^2H$ est envisagée pour l'avenir, notamment parce que le tritium (^3H) présente l'inconvénient d'être radioactif, ce qui n'est pas le cas du deutérium (^2H).) Au rythme de consommation actuel, il y aurait suffisamment de deutérium dans l'eau des océans pour couvrir les besoins énergétiques pendant 4 ou 5 milliards d'années. Selon les astrophysiciens, cela correspond à peu près au temps qui s'écoulera d'ici à la mort de notre Soleil ! De plus, la fusion nucléaire présente l'avantage d'être une source d'énergie « propre », contrairement à la fission qui produit des déchets radioactifs dangereux. Également, du fait que la fusion nucléaire ne peut être spontanée, elle ne devrait pas présenter les dangers de la fission nucléaire qui, elle, peut être spontanée : le réacteur d'une centrale à fission nucléaire pourrait théoriquement présenter des risques d'emballement sérieux en cas de défaillance majeure des divers systèmes de contrôles.

23. Remarque : Cette contraction aurait duré environ 15 millions d'années.

QUESTIONS ET EXERCICES

1. Quels sont les trois types de radioactivité les plus courants ?

2. De quel type de particules le rayonnement γ est-il constitué ?

3. Comment appelle-t-on le temps que vivent en moyenne les noyaux d'un radioisotope ?

4. Qui a découvert la radioactivité ?

5. Comment appelle-t-on l'ensemble formé par un radio-élément de vie moyenne très longue et ses divers descendants ?

6. Jusqu'à quel numéro atomique connaît-on des isotopes stables ?

7. Lorsque l'isotope ^{206}Rn se désintègre par radioactivité α, quel isotope en résulte-t-il ?

8. Lorsque l'isotope ^{82}Br se désintègre par radioactivité β^-, quel isotope en résulte-t-il ?

9. Lorsque l'isotope ^{62}Zn se désintègre par radioactivité β^+, quel isotope en résulte-t-il ?

10. Que se produit-il lorsqu'un noyau se trouvant dans un état excité retourne à l'état fondamental ?

11. Qui a découvert la radioactivité artificielle ?

12. Comment appelle-t-on les éléments de numéro atomique supérieur à 92 ?

13. Quels sont les deux éléments de numéros atomiques inférieurs à 83 dont on ne trouve aucun isotope à l'état naturel ?

14. Quels sont les deux éléments radioactifs découverts par Pierre et Marie Curie ?

15. Qui a découvert la première réaction nucléaire ?

16. Quelles sont les deux catégories de réactions nucléaires qui libèrent le plus d'énergie ?

17. Comment appelle-t-on l'état de la matière aux températures supérieures à 10 000° C ?

18. Citez les deux isotopes fissiles les plus utilisés jusqu'à maintenant.

19. Citez les deux isotopes qui fusionnent le plus facilement.

20. Combien de neutrons les réactions de fission produisent-elles en moyenne ?

21. Qu'entend-on par uranium enrichi ?

22. Dans quel but retraite-t-on l'uranium qui a été utilisé pendant un certain temps dans une centrale nucléaire ?

23. Comment parvient-on, à l'heure actuelle, à déclencher l'explosion d'une *bombe H* ?

24. Comment appelle-t-on la masse de matériau fissile qu'il faut rassembler pour que démarre une réaction de fission en chaîne ?

25. Mis à part les deux fragments principaux, quels types de particules sont produites lors d'une réaction de fission ?

26. Quel est l'ordre de grandeur de la température à laquelle il faut porter un plasma constitué de deutérium et de tritium pour que la fusion nucléaire se produise ?

27. En supposant que l'on ait créé à un instant donné $1,0 \times 10^9$ noyaux de l'isotope ^{20}F, combien en resterait-il au bout de 66 s ?

28. Supposons que l'on ait créé à un instant donné 4×10^5 noyaux d'un radioisotope donné, et qu'il reste $1,0 \times 10^5$ noyaux non désintégrés au bout de 1,0 h. Quelle serait dans ces conditions la vie moyenne de ce radioisotope ?

29. Combien d'énergie recueillerait-on si l'on parvenait à transformer complètement 1,0 mol d'eau en énergie ?

30. Si l'on parvenait à contrôler la fusion nucléaire de façon à pouvoir l'utiliser comme source d'énergie, où puiserait-on la matière première nécessaire ?

31. On a expérimenté jusqu'à maintenant deux méthodes pour confiner le plasma, en vue de réaliser la fusion nucléaire. L'une d'elles consiste à utiliser un champ magnétique, et l'autre consiste à utiliser un faisceau laser très intense. Quel nom donne-t-on à la première de ces méthodes ?

32. De quels isotopes est constitué l'uranium naturel, et quel pourcentage de chacun de ces isotopes contient-il ?

33. Sachant que l'unique isotope stable du manganèse renferme 55 nucléons, lesquels des isotopes suivants devraient être radioactifs β^-, et lesquels devraient être radioactifs β^+ ?

^{50}Mn, ^{51}Mn, ^{52}Mn, ^{53}Mn, ^{54}Mn, ^{56}Mn, ^{57}Mn, ^{58}Mn

34. Énumérez les principales composantes du réacteur d'une centrale nucléaire.

35. Énumérez les trois réactions successives qui expliquent la formation de l'isotope ^{239}Pu au sein de l'uranium utilisé dans une centrale nucléaire ?

36. Pour que la réaction en chaîne qui se déroule dans une centrale nucléaire se poursuive à un rythme constant, il faut qu'une partie des neutrons produits soient rendus inefficaces. Sur 2500 neutrons produits :

a) combien de neutrons devront être rendus inefficaces ?
b) quels sont les destins possibles pour les neutrons rendus inefficaces ?

37. Quel est le rôle du modérateur dans une centrale nucléaire ?

38. Quel est le rôle du fluide réfrigérant dans une centrale nucléaire ?

39. D'après les astrophysiciens :

a) de quel élément était principalement constitué notre Soleil à sa naissance, il y a environ 5 milliards d'années ?
b) de quel élément sera principalement constitué notre Soleil à sa mort, dans environ 5 milliard d'années ?
c) de quels éléments notre Soleil est-il principalement constitué à l'heure actuelle, et quels sont les pourcentages respectifs de ces éléments ?

40. Calculez la perte de masse qui devrait se produire lors de la combustion de $1,0 \times 10^3$ kg d'hexane, C_6H_{14}, sachant que :

$$2\ C_6H_{14} + 19\ O_2 \longrightarrow 12\ CO_2 + 14\ H_2O + 7780\ kJ$$

41. Sachant que la masse molaire de l'isotope ^{127}I égale 126,9004 g/mol, calculez :

a) la masse d'un atome de cet isotope ;
b) la masse que totaliseraient les protons, les neutrons et les électrons dont est constitué un atome de cet isotope, si toutes ces particules étaient séparées les unes des autres ;
c) le « défaut de masse » ;
d) l'énergie équivalant au défaut de masse ;
e) l'énergie de liaison du noyau de cet isotope ;
f) l'énergie de liaison par nucléon, dans le noyau de cet isotope.

42. Parmi les équations suivantes :

1 - $^{235}U \longrightarrow\ ^{141}Ba +\ ^{92}Kr + 2\,^1_0n$
2 - $^{112}Ag \longrightarrow\ ^{112}Cd +\ ^0_{-1}e$
3 - $^{220}Rn \longrightarrow\ ^{216}Po +\ ^4He$
4 - $^2D +\ ^2D \longrightarrow\ ^3He +\ ^1_0n$
5 - $^{38}Ca \longrightarrow\ ^{38}K +\ ^0_{+1}e$
6 - $^{239}Pu +\ ^1_0n \longrightarrow\ ^{138}Te +\ ^{99}Mo + 3\,^1_0n$

a) laquelle illustre une désintégration α ?
b) laquelle illustre une désintégration β^- ?
c) laquelle illustre une désintégration β^+ ?
d) laquelle illustre une réaction de fusion nucléaire ?
e) laquelle illustre une réaction de fission spontanée ?
f) laquelle illustre une réaction de fission provoquée ?

43. Lequel des énoncés ci-dessous concernant la réaction nucléaire suivante est faux :

$$^1n +\ ^{235}U \longrightarrow\ ^{99}Zr +\ ^{137}Te + 2\,^1n$$

a) le noyau de zirconium contient 40 protons ;
b) le noyau d'uranium contient 143 neutrons ;
c) le noyau de tellure contient 137 nucléons ;
d) la réaction n'est pas correctement équilibrée ;
e) le noyau de tellure et le noyau de zirconium renferment à eux deux un neutron de moins que le noyau d'uranium.

44. Complétez les équations des réactions de désintégration suivantes :

a) $^{38}Cl \longrightarrow$ _____ $+\ ^0_{-1}e$
b) $^{41}Ca \longrightarrow\ ^{41}K +$ _____
c) $^{211}Bi \longrightarrow$ _____ $+\ ^4\alpha$
d) _____ $\longrightarrow\ ^{60}Ni +\ ^0_{-1}e$
e) $^{208}Po \longrightarrow\ ^{204}Pb +$ _____
f) $^{110}Ag \longrightarrow\ ^{110}Cd +$ _____
g) $^{22}Na \longrightarrow$ _____ $+\ ^0_{+1}e$

45. Complétez les équations des réactions nucléaires suivantes : (^{2}d symbolise le *deuton*, particule constituée d'un proton et d'un neutron, identique au noyau du deutérium)

a) $^3H +\ ^2d \longrightarrow\ ^4He +$ _____
b) $^{60}Ni +$ _____ $\longrightarrow\ ^{63}Zn +\ ^1n$
c) $^7Li +\ ^1p \longrightarrow$ _____ $+\ ^1n$
d) $^{63}Cu +$ _____ $\longrightarrow\ ^{63}Zn +\ ^1n$
e) _____ $+\ \alpha \longrightarrow\ ^{63}Cu +\ ^1n +\ ^1p$
f) $^{23}Na +$ _____ $\longrightarrow\ ^{27}Al$
g) $^9Be +\ ^2d \longrightarrow$ _____ $+\ ^1n$
h) $^{27}Al +\ ^1n \longrightarrow$ _____ $+\ \alpha$
i) _____ $+\ \alpha \longrightarrow\ ^{62}Zn + 2\,^1n$
j) _____ $+\ ^1p \longrightarrow 2\,^4He$

46. Complétez les équations des réactions de fission suivantes :

a) $^{235}U + {}^1n \rightarrow {}^{144}La + \underline{\quad\quad} + 2\,{}^1n$

b) $\underline{\quad\quad} + {}^1n \rightarrow {}^{131}Sn + {}^{106}Ru + 3\,{}^1n$

c) $^{233}U + {}^1n \rightarrow \underline{\quad\quad} + {}^{89}Kr + 3\,{}^1n$

d) $^{239}Pu + {}^1n \rightarrow {}^{122}Cd + \underline{\quad\quad} + 2\,{}^1n$

e) $\underline{\quad\quad} \rightarrow {}^{149}Pr + {}^{84}As + 2\,{}^1n$

47. Les énoncés suivants concernant la radioactivité sont-ils vrais ou faux ?

a) la radioactivité β^- résulte d'une transformation d'un neutron en proton ;

b) les seuls radioéléments présents dans l'écorce terrestre sont ceux dont la vie moyenne est de l'ordre de grandeur de l'âge de la Terre ;

c) pour un radioélément donné, les isotopes instables plus pauvres en neutrons que les isotopes stables sont radioactifs β^+ ;

d) les radioéléments artificiels sont des radioéléments qui se forment lors de la désintégration des radio-éléments naturels ;

e) pour un élément donné, les isotopes instables plus riches en neutrons que les isotopes stables sont radioactifs β^- ;

f) la présence sur la Terre d'isotopes instables de vie moyenne très courte est due à ce que l'on appelle la « filiation radioactive » ;

g) la datation par le carbone 14 consiste à estimer l'âge d'un fossile en mesurant la concentration de l'isotope ^{14}C qu'il contient.

48. Les énoncés suivants concernant la stabilité et l'énergie de liaison sont-ils vrais ou faux ?

a) l'énergie qui se dégagerait si l'on formait un noyau en réunissant les protons et les neutrons dont il est constitué est équivalente au « défaut de masse » ;

b) l'énergie de liaison des électrons au noyau est beaucoup plus grande que l'énergie de liaison des protons et des neutrons au sein du noyau ;

c) les noyaux les plus solidement liés sont ceux pour lesquels le « défaut de masse » est le plus petit en valeur absolue ;

d) il existe quelques isotopes, très peu répandus dans la nature, pour lesquels le « défaut de masse » est nul ;

e) une réaction nucléaire dégage de l'énergie si les nucléons sont en moyenne plus liés dans les produits qu'ils ne l'étaient dans les réactifs ;

f) c'est dans les très petits noyaux que les nucléons sont le plus solidement liés ;

g) c'est dans les noyaux renfermant environ 60 nucléons que ces derniers sont le moins solidement liés ;

h) si la mesure était possible, on devrait trouver que la masse totale des produits d'une réaction chimique endothermique est légèrement supérieure à la masse totale des réactifs ;

i) lorsque la zone de stabilité se confond avec la droite d'équation $N = Z$, cela veut dire que le nombre de neutrons est approximativement égal au nombre de protons.

49. Les énoncés suivants concernant les centrales nucléaires sont-ils vrais ou faux ?

a) dans une centrale nucléaire, environ 95% des neutrons produits par chaque réaction de fission servent à provoquer de nouvelles fissions ;

b) dans une centrale nucléaire, le graphite peut être utilisé aussi bien comme modérateur que comme fluide réfrigérant ;

c) dans une centrale nucléaire, l'essentiel du contrôle de la réaction en chaîne est réalisé à l'aide des barres de contrôle ;

d) les centrales à fission nucléaire présentent beaucoup plus de dangers que les centrales à fusion nucléaires, mais elles permettent d'obtenir beaucoup plus d'énergie ;

e) avant d'être utilisé dans les centrales nucléaires, l'uranium naturel est débarrassé de l'isotope 238 ;

f) les barres de contrôle ne sont pas nécessaires lorsqu'on emploie un très bon modérateur ;

g) dans les centrales nucléaires de type CANDU, le matériau fissile employé est de l'uranium naturel ;

h) dans une centrale nucléaire, l'énergie nucléaire est d'abord transformée en chaleur avant d'être transformée en électricité ;

i) l'uranium enrichi est de l'uranium dans lequel la proportion de l'isotope ^{238}U est plus grande que dans l'uranium naturel ;

j) les neutrons se déplaçant à 1 km/s sont plus aptes à produire des fissions que les neutrons se déplaçant à 10 000 km/s ;

k) le type de réaction nucléaire qui se produit lors de l'explosion d'une bombe A est le même que celui qui se déroule dans une centrale nucléaire actuelle ;

l) les réactions de fission qui se déroulent dans les centrales nucléaires consomment en moyenne un neutron et produisent en moyenne un neutron.

50. Les énoncés suivants concernant la fission et la fusion sont-ils vrais ou faux ?

a) la fission spontanée dégage beaucoup plus d'énergie que la fission provoquée par un neutron, mais elle est très rare ;

b) la fusion nucléaire dégage beaucoup plus d'énergie que la fission nucléaire, mais on ne sait pas encore la contrôler ;

c) la bombe H est une bombe à fusion, tandis que la bombe A est une bombe à fission ;

d) l'énergie rayonnée par les étoiles provient des réactions de fission nucléaire qui s'y déroulent en permanence ;

e) pour réaliser la fusion nucléaire, il faut porter les noyaux à des températures de l'ordre de 100 millions de degrés ;

f) au cours d'une réaction de fusion, le nombre de nucléons diminue à cause du très grand dégagement d'énergie ;

g) en ce qui concerne les déchets radioactifs, la fusion présente beaucoup moins de dangers que la fission ;

h) si la fusion nucléaire est difficile à réaliser, c'est en grande partie parce que les interactions électriques entre particules chargées s'exercent à grande distance, tandis que les interactions entre nucléons ne s'exercent qu'à très courte distance.

RÉPONSES

1. α, β^-, β^+ 2. photons

3. vie moyenne   4. Henri Becquerel

5. famille radioactive   6. 83

7. ^{202}Po   8. ^{82}Kr   9. ^{62}Cu

10. émission d'un rayonnement γ

11. Irène Curie et Frédéric Joliot

12. transuraniens

13. technétium et prométhéum

14. radium et polonium

15. Rutherford   16. fission et fusion

17. plasma   18. ^{235}U et ^{239}Pu

19. ^{2}H et ^{3}H   20. 2,5

21. de l'uranium dans lequel la proportion de ^{235}U est plus élevée que dans l'uranium naturel

22. pour en extraire ^{239}Pu

23. à l'aide d'une bombe A

24. masse critique

25. neutrons et rayonnement γ

26. 100 millions de degrés   27. $1,6 \times 10^7$ noyaux

28. 0,5 h   29. $1,6 \times 10^{15}$ J

30. dans les océans et les mers   31. *Tokamak*

32. 99,3% de ^{238}U et 0,7% de ^{235}U

33. radioactifs β^- : ^{56}Mn, ^{57}Mn, ^{58}Mn ; radioactifs β^+ : ^{50}Mn, ^{51}Mn, ^{52}Mn, ^{53}Mn, ^{54}Mn

34. matériau fissile, modérateur, fluide réfrigérant, barres de contrôle

35. $$^{238}_{92}U + ^1_0n \longrightarrow ^{239}_{92}U$$
$$^{239}_{92}U \longrightarrow ^{239}_{93}Np + ^0_{-1}e$$
$$^{239}_{93}Np \longrightarrow ^{239}_{94}Pu + ^0_{-1}e$$

36. a) 1500
    b) être capturés (par ^{238}U, ou le modérateur, ou le fluide réfrigérant) ou s'échapper du cœur du réacteur

37. ralentir les neutrons de 10 000 km/s environ à 1 km/s environ

38. extraire la chaleur du réacteur

39. a) hydrogène   b) hélium
    c) 75% d'hydrogène et 23% d'hélium

40. 0,5 mg

41. a) $2,107264 \times 10^{-22}$ g/atome
    b) $2,1265 \times 10^{-22}$ g
    c) $1,92 \times 10^{-24}$ g
    d) $1,73 \times 10^{-10}$ J
    e) $-1,73 \times 10^{-10}$ J
    f) $-1,36 \times 10^{-12}$ J/nucléon

42. a) 3   b) 2   c) 5   d) 4   e) 1   f) 6

43. e)

44. a) $^{38}_{18}Ar$ b) $^0_{+1}e$ c) $^{207}_{81}Tl$ d) $^{60}_{27}Co$
    e) $^4_2\alpha$ f) $^0_{-1}e$ g) $^{22}_{10}Ne$

45. a) ^1_0n b) $^4_2\alpha$ c) ^7_4Be d) ^1_1p
    e) $^{61}_{28}Ni$ f) $^4_2\alpha$ g) $^{10}_5B$ h) $^{24}_{11}Na$
    i) $^{60}_{28}Ni$ j) ^7_3Li

46. a) $^{90}_{35}Br$ b) $^{239}_{94}Pu$ c) $^{142}_{56}Ba$ d) $^{116}_{46}Pd$
    e) $^{235}_{92}U$

47. a) V   b) F   c) V   d) F   e) V   f) V
    g) V

48. a) V   b) F   c) F   d) F   e) V   f) F
    g) F   h) V   i) V

49. a) F   b) F   c) F   d) F   e) F   f) F
    g) V   h) V   i) F   j) V   k) V   l) F

50. a) F   b) V   c) V   d) F   e) V   f) F
    g) V   h) V

Bibliographie

De BROGLIE, L.V., *Les atomes*, Paris, Lafont/Grammont, 1975.

EVANS, R.D., *Le noyau atomique*, Paris, Dunod, 1961.

LA RECHERCHE en Physique nucléaire, articles de J. Arvieux *et al.*, Paris, Seuil, 1983, Points/Sciences.

LEFORT, Marc, *La chimie nucléaire*, Paris, Dunod, 1966.

REEVES, Hubert, *Poussières d'étoiles*, Paris, Seuil, 1984.

INDEX

QUELQUES UNITÉS SI DÉRIVÉES DES UNITÉS DE BASE
ET DÉSIGNÉES PAR DES NOMS SPÉCIAUX

Grandeur	Nom	Symbole	Expression en d'autres unités	Expression en unités de base
fréquence	hertz	Hz		s^{-1}
force	newton	N		$m \cdot kg \cdot s^{-2}$
pression	pascal	Pa	N/m^2	$m^{-1} \cdot kg \cdot s^{-2}$
énergie	joule	J	$N \cdot m$	$m^2 \cdot kg \cdot s^{-2}$
puissance	watt	W	J/s	$m^2 \cdot kg \cdot s^{-3}$
charge électrique	coulomb	C		$s \cdot A$
différence de potentiel	volt	V	W/A	$m^2 \cdot kg \cdot s^{-3} \cdot A^{-1}$

QUELQUES FACTEURS DE CONVERSION

$1\ l\ =\ 1\ dm^3$

$1\ \text{Å}\ =\ 10^{-10}\ m\ =\ 0,1\ nm$

$1\ atm\ =\ 101,325\ kPa$

$1\ mmHg\ (0°C)\ =\ 133,322\ Pa$

$0°C\ =\ 273,15\ K$

$1\ cal\ =\ 4,1868\ J$

$1\ eV\ =\ 1,602 \times 10^{-19}\ J$

$1\ eV/\text{entité}\ =\ 96,49\ kJ/mol$

UNITÉS DE BASE SI

Grandeur	Nom de l'unité	Symbole
longueur	mètre	m
masse	kilogramme	kg
temps	seconde	s
intensité de courant électrique	ampère	A
température thermodynamique	kelvin	K
quantité de matière	mole	mol
intensité lumineuse	candela	cd

PRÉFIXES SI

Facteur par lequel l'unité est multipliée	Préfixe	Symbole
$1\,000\,000\,000\,000 = 10^{12}$	téra	T
$1\,000\,000\,000 = 10^{9}$	giga	G
$1\,000\,000 = 10^{6}$	méga	M
$1\,000 = 10^{3}$	kilo	k
$100 = 10^{2}$	hecto	h
$10 = 10^{1}$	déca	da
$0,1 = 10^{-1}$	déci	d
$0,01 = 10^{-2}$	centi	c
$0,001 = 10^{-3}$	milli	m
$0,000\,001 = 10^{-6}$	micro	μ
$0,000\,000\,001 = 10^{-9}$	nano	n
$0,000\,000\,000\,001 = 10^{-12}$	pico	p
$0,000\,000\,000\,000\,001 = 10^{-15}$	femto	f
$0,000\,000\,000\,000\,000\,001 = 10^{-18}$	atto	a